MAGAZINE 특·특·사

특수교사,
특수교육을 사유하다

No. 3

2024 SUMMER

특수교육연구회 셋업 지음

목차

2023 연말 - 2024 상반기

셋업 뉴우쓰 타임라인

웹진 톡톡사의 새로운 코너!
지난 겨울호부터 이번 여름호 사이, 셋업에서 있었던 일들을
사무국과 셋블리쉬에서 전해 드립니다.

1 글로벌이너피스와 모이세의 협업

발달장애인을 위한 세계시민교육과
다문화교육을 연구해온 모이세가
제주 기반 NGO 글로벌이너피스와 함께
제주영지학교를 찾았습니다.
'물 부족'을 주제로 직접 개발한 교육자료와
4차시 수업을 운영했답니다.
교사와 학생 모두가 즐거운 시간이었습니다.

2 제5회 발달장애인 독후감대회 개최

발달장애인에게 독서의 즐거움을 알려주고자
책 선정, 교육자료 개발 및 배포, 대회 운영까지
독서교육 유닛 책갈피가 직접 운영하는
발달장애인 독후감대회, 다섯번째 대회를
성공적으로 마쳤습니다.
참여해주신 모든 분께 깊은 감사를 전합니다.

2022 개정 교육과정 관련 연구 — 3

2022 교육과정 개정에 발맞추어
교육과정 유닛 씨유에서는
기본교육과정 및 일반교육과정의
교과별 성취기준 체크리스트를
정리하고, 배포하였습니다.

모이세에서는
개별화교육의 일상생활기술/기능적 기술을
더욱 체계적으로 수립할 수 있도록
COACH프로그램을 활용하여
기본교육과정 성취기준을 분석하였고,
이를 학술지로 게재하였으며
자료로 배포하였습니다.

4 — 2023 셋'스칼라

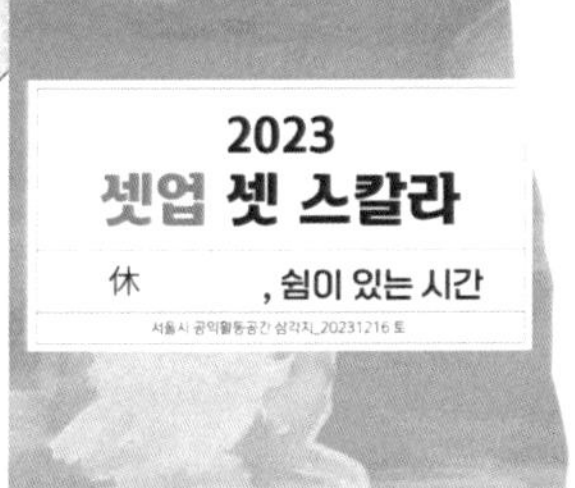

셋업의 한 해 살이를 돌아보는 시간,
SET'Scholar 셋'스칼라!
2023년에는 '쉼이 있는 시간'을 테마로
서울시 공익활동공간 삼각지에서 열렸습니다.
추운 날씨에도 전국에서 많은 연구원이 모였습니다.

대표 인삿말로 시작된 행사는
회계와 출판팀 셋블리쉬의 결산보고에 이어,
9개 유닛의 활동보고로 이어졌습니다.
'휴식'을 위해 준비된 순서들도 있었는데요.
가수 시와님의 공연을 통해 마음에 온기를 채웠고,
나 돌보기와 서로 돌보기 프로그램을 통해
나와 서로에게 따뜻한 위로를 건넸습니다.

한 해 동안 수고했던 나와 우리를 토닥여주고
새로운 시간을 맞이할 힘을 채우는
뜻깊은 시간이었습니다.

5 Magazine 특·특·사 제2권 출간

웹진 프로젝트 <Magazine 특특사>는
각 유닛별로 셋업 안에서
함께 배우고 성장하며 나눈
우리의 이야기를 담아내고 있습니다.
반년 만에 새 이야기로 찾아온 제2권에는
책갈피, 모미, 피클, 음악교육, 너나우리,
팔레트, 모이세, 위드, 지그재그, 씨유 등
10개 유닛의 활동 소식이
알차게 담겼습니다.

6 운영진 재정비

셋업의 살림을 챙겨가는 운영진,
2024년의 시작과 함께 멤버를 보강했습니다.
'교원학습공동체국'과 '동아리국', '사무국'으로
역할도 새로이 배치하였습니다.
연구원 선생님들이 셋업 안에서 함께하며
더욱 많은 성장과 배움을 누리시도록
열심히 지원하겠습니다.

7 School Voice와 함께한 한일 특수교사 간담회

한국 DPI(장애인연맹)의 초청으로
일본 특수교사 단체 'School Voice'가
한국에 방문했습니다.
특수교육 관련 현장 견학 일정을 마친 후,
한국의 특수교사 모임 셋업과 만났습니다.
양국의 특수교육에 대해 문답을 주고받았고,
앞으로의 과제와 함께 해볼 수 있는 일들을
꿈꿔볼 수 있는 시간이었습니다.

8 — MSV 인터뷰

5월, 셋업은 한 인터뷰에 참여했습니다.
사회문제 해결을 위한 디자인&콘텐츠 기업,
'미션잇'이 제작하는 소셜임팩트 시리즈 'MSV'에
담기게 될 내용이었는데요.
발달장애학생과 느린학습자의 도서관 이용 경험,
독서교육 등에 관련한 내용으로 진행되었습니다.
셋업 선생님들은 각자의 학생 지도 사례와 함께
읽기 쉬운 책 제작, 독후감대회 운영 경험을 통해
풍성한 나눔으로 의미있는 시간을 보냈습니다.

6기 신입 연구원 모집 시작 — 9

잠시 휴식했던 신규 연구원 모집에
많은 분들이 아쉬워하셨지요?
6기 신입 연구원 모집 소식이 돌아왔습니다.
특별히 이번에는 2차 워크숍과 면접이
대면으로 진행될 계획인데요,
셋업과 함께 마음껏 배우고 꿈꾸며 성장하실
특수교사들의 지원을 기다립니다.

이상 셋업의 소식을 간략하게 전해드렸습니다.
더 많은 이야기는 셋업의 여러 채널을 통해 만나실 수 있습니다.

블로그

https://blog.naver.com/setup0621

홈페이지

https://www.set-up.kr/

인스타그램

https://www.instagram.com/_setup/

위드가 묻고, 위드가 답하다.

장애학스터디 유닛으로 4년째 함께하고 있는 위드, 올해는 새로운 변화를 맞았습니다. 장애학스터디 유닛 위드는 조금 더 학술적인 내용으로 '장애학'을 만나보기 위해 장애학 이론서 꼭꼭 씹어 먹기에 도전하고 있고요, 기존에 해왔던 대로 장애학이라는 매개를 통해 특수교사로서의 나와 우리의 특수교육을 고민하는 나눔을 갖는 모임은 동아리의 형태로 장애학 독서모임을 운영하고 있습니다.

이렇게 두 그룹으로 나뉘면서 새로운 멤버도 많이 오셨어요. 두 그룹은 따로, 또 같이 활동하고 있는데요. 이번 특특사에서는 위드 새내기샘들이 위드에 대한 질문을 던지고, 위드 선배샘들이 답하는 방식으로 깊은 만남을 가져보았습니다.

서로를 향한 응원이 듬뿍 묻어난 문답들, 함께 만나러 가볼까요?

장애학스터디 유닛 위드 WITH　　　　장애학 독서모임 동아리 장독대

#기억에 남은 위드 활동
#힐링 위드 #마음 돌봄
#균형과 용기

자타 공인 셋업의 힐링 유닛! 위드 선생님들의 후기를 들을 때마다 힐링 되는 시간이었다는 분들이 많아서 궁금했었어요. 그리고 작년 셋스칼라에서 위드의 활동에 대해 안내해 주셨는데 독서, 스터디, 오픈데이, 영화 상영 등등 다양한 활동들이 눈길을 끌었어요. 그중 저는 선생님들이 위드에서 읽은 책 소개에서 마음을 뺏겼어요. 나도 저 책들을 읽어봐야겠다는 마음이 들어 얼른 핸드폰을 꺼내 사진을 찍어두었거든요. 다양한 활동들 중 위드에서 제가 아직 경험해 보지 못한 것들이 많아서인지 앞으로 위드와 함께할 시간들도 기대가 됩니다. 그리고 상반기를 함께해보니 왜 힐링 유닛인지 어렴풋이 알 것 같아요. “타인의 고통에 응답하는 공부”, “누구를 위해 특수교육은 존재하는가”를 상반기에 함께 읽으며 마음이 무겁기도 했고 답은 뭘까 답답하기도 했지만 왜인지 그 선생님들과 함께 그 고민들을 나누는 시간이 즐거웠거든요.

그래서 기존 멤버 선생님들께서는 그간 위드 활동 중에서 어떤 활동이 가장 기억에 남으시는지, 위드를 통해 어떤 부분을 힐링 받으셨는지 궁금해요!

— 위드 새내기, 최효언

저는 위드 공동체 상영에 참여한 경험이 있어요. 그때 위드 선생님들의 다정함과 그 안에 숨겨져 있는 카리스마에 반해 함께하고 싶다고 생각했답니다. 특수학급에서 근무하며 내가 만나는 아이들의 편이 되어 함께 목소리 내는 교사가 되겠다고 다짐했습니다. 막상 현장에서는 감정에 호소하는 대화를 했고, 돌아오는 피드백에 상처받고 쓰러질 때가 더 많았던 것 같습니다. 그래서 더욱 공부하며 경험의 지경을 넓혀야겠다고 생각했어요. 위드 선생님들과 함께 이야기 나누며 서로의 가치를 알아가고, 태도를 배우고 있습니다. 위드 내에서 연대의 기쁨을 충만하게 누리고 있어요.

여전히 저는 동료 교사에게, 학부모에게, 학생들에게 상처를 받습니다. 그럴 때마다 ‘내가 왜 이렇게까지 해야 하는 거지?’라는 뾰족한 마음들이 올라오기도 해요. 선생님들은 이런 힘듦의 순간에 어떻게 마음의 균형을 찾아가시는지, 어떻게 다시금 용기를 내시는지 궁금합니다.

— 위드 새내기, 이다요솔

위드에서 가장 좋은 건 제가 공동체 속에 속해져 있다는 소속감인 것 같아요. 내 생각을 지지해 주고 관심 있는 것을 함께 나누는, 말 그대로 '연대' 속에서 느끼는 안정감과 소속감에서 가장 큰 힐링을 받고 힘이 됩니다. 선생님들의 한 학기도 그랬는지 궁금하네요^^ 느리고 서툴지만, 더 나은 사회를 그리고 아이들을 위해 공부하고 실천하면서 제 안에 있는 힘이 자라나는 것을 느낍니다. 장애학을 공부하면서 시야가 넓어진 만큼 불편한 것들이 많아지는 것도 사실입니다. 더욱이 내 힘으로 해결할 수 없다는 것을 느낄 때는 무력감을 느끼고 상처를 받을 때도 있습니다. 그런 순간에는 나의 한계를 받아들이고 내가 할 수 있는 것에 집중하도록 노력한 것 같아요. 학교에서는 아이들을 통해 나의 존재의 의미를 찾고, 또 위드와 나누는 순간 속에서 저는 삶의 균형을 찾고 있습니다.

위드의 활동 중 개인적으로는 김승섭 교수님의 〈아픔이 길이 되려면〉이라는 책을 읽고 나누었던 기억이 제일 좋았는데, 사회의 많은 문제를 풀어가기 위해서는 공동체의 힘을 강조하신 부분이 가슴 깊이 새겨졌습니다. 그래서 저는 다른 사람들의 아픔과 열정을 느끼면서, 타인의 고통에 대해 예민하게 반응하고 좌절에 함께 분노하고 행동할 수 있는 사회를 만들고 싶어졌달까요?

지치는 순간이 올 때, 항상 위드가 있다는 것을 잊지 마시고 옳다고 생각하는 걸 함께 하는 위드가 되었으면 합니다 :) 올 한해도 열심히 달려보아요^^

— 위드 선배, 김미래

위드와 함께 했던 모든 시간들이 소중해서 한 순간을 꼽는 건 어려운 일이네요. 장애학을 공부하기 이전에 '당사자주의'라는 용어는 매우 낯선 용어였어요. 그동안 제가 하고 있는 모든 일이 당사자주의에 가까운 일들이라고 생각했거든요. 그런데 공부를 하면 할수록 오만했다는 생각이 많이 들더라고요. 이 용어를 함께 배우고 나누던 그 시기부터는 아이들을 생각하는 모든 일과 생각이 조심스러워지기 시작했어요. 어떤 일을 결정하기 이전에 한번 더 돌아보고 생각하는 저를 보며 위드 덕분에 조금씩 성장하고 있다는 생각이 듭니다. 매 순간 성장하는 제 자신을 발견할 때마다 매우 의미 있는 시간이라는 생각이 들어요.

매달 위드 모임도 저에겐 큰 힐링이었지만, 발제자가 된 달에 짝꿍 선생님과 함께하는 미니(?) 위드 모임이 저에게 더 크나큰 힐링의 시간이었던 것 같아요. 의미있는 발제문을 준비하기 위해 짝꿍 선생님과 정말 많은 이야기들을 쭉쭉 뻗어나가는 시간이 위드 모임에서보다 심도 있는 대화를 나누게 되는 것 같아 또 다른 의미에서 힐링되는 시간이었어요.

제가 이 질문에 답을 할 수 있을 만큼 크고 단단한 사람이 아니라는 생각이 들어요. 저도 힘들다고 투정부리고, 손에 있는 것을 다 놓아버리고 싶었던 순간이 있어요. 그럴 땐 힘듦을 충분히 느끼는 시간도 필요한 것 같아요. 그러면서 천천히 나의 에너지를 쌓고 마음의 균형을 찾아가야겠다는 생각이 들면 그때 균형을 잡아도 늦지 않을 거예요. 현장에서 한 달을 힘들게 지내고 나면 어느덧 위드 모임의 시간이 다가와 있었어요. 위드 선생님들께는 항상 지혜롭게 답을 주셨고, 그런 선생님들의 이야기를 들으며 나도 해볼 수 있겠다, 나도 해봐야겠다. 라는 힘과 용기가 쌓였던 것 같아요. 매 시간 함께 나눈 이야기들이 그 다음 달까지 견딜 수 있는 에너지가 되어 주었어요. 저는 아직도 많이 부족해요. 그래서 위드의 시간을 통해 매달 한층 더 건강하고 단단한 사람으로 성장하고자 노력하고 있어요. 같이 나아가요 선생님!

— 위드 선배, 김별

#여전히 차별을 이야기하는 사람들에게

학교 현장에서는 많은 차별적인 문장과 생각들이 오고갑니다. 누가 들어도 차별적이고 배제하는 말들은 오히려 반론을 제기하기 좋습니다. 명확한 기준이 있고, 그게 차별이라고 법으로도 명시되어 있으니까요. 그런데 듣기에 불편한데 왜인지 이유를 명쾌하게 설명하지 못하는 것도 있어요. "특수교사는 천사예요... 나는 그런 애들과 못 해.", "그 애는 멀쩡해보이는데 특수학급이예요?", "걔는 얼굴도 예쁜데 안되었더라...", "장애인처럼 안 보이는데요?", "정상인들도 그러는데.., 장애인들은 더하겠지!", "장애인은 졸업하면 집에 있겠네?", "특수학급 친구들을 혼내도 되나요?" 등등 입니다. 차근차근 아니라고 반박하면서 설명하자니 스몰톡으로 시작한 대화가 너무 진중해지는 것 같고, 반박하다가도 스스로 '정말 그런가?'하고 반문하게 되기도 해요. 그렇다고 그냥 넘어가기에는 또 불쾌한 기분이 살짝 올라옵니다. 현장에서의 많은 말들 중에서도 공부를 결심하게 된 가장 결정적인 말은 "장애인과 함께 일하는 것보다 차라리 혼자 더 많이 일하는 게 편하지."였습니다. 현장에서도 함께 일하기 싫은 사람들이 있지만 그 사람들은 그냥 개인으로 봅니다. '장애인'이라고 꼬리표를 달고 함께 일하게 되었기 때문에 늘 '생각했던 것보다 괜찮다/더 힘들다.'라는 가치판단이 들어가더라구요. 순간 울컥하다가 과연 나라면 어떨까? 하는 생각이 들었습니다. 내가 현장에서 힘들 때 내가 저 생각을 안할 수 있을까?하는 생각이 드는 순간, 답이 쉽게 나오지 않더라구요. 저 문장을 얘기하는 많은 사람들에게 도움이 될 영화나 책, 영상들이 있을까요?

— 위드 새내기, 김민지

통합교육의 최전선에서 일하고 있는 선생님들이 많은 위드의 특성상 이런 주제를 꽤 다루었던 것으로 기억합니다. 어떤 책, 어떤 영화를 봤더라도 이런 질문으로 귀결되는 경우가 많았어요. 현장에서 가장 자주, 어렵게 체감하는 문제였기 때문이겠죠. "이 아이들이 우리 교실에 와서 수업받는 게 얘들에게 도움이 되나요?"라는, 전혀 공격적이지 않고 외려 맑았던 그 질문을 듣고 너무 당황했던 기억이 납니다. 2024년을 살아가고 있는 게 맞긴 하는지, 우리나라에서 통합교육을 실천한 지가 벌써 몇 해인데 아직도 이러는지 이해되지 않고 화나죠. 안 그래도 일이 많은 특수교사가 책임져야 하는 장애인식 개선의 대상은 어디까지일지 버겁고 답답하기도 해요. 그런데 달리 생각해보면, 우리와 같이 전공 공부를 하거나 가까이에서 부대끼는 경험을 하며 다양하게 의견을 나눠보는 기회가 없었던 이들에게는 정말로 장애 자체를 몰라서, 경험해 보지 않아서 하는 생각들일지도 모르겠다 싶습니다.

최근에 위드가 함께 읽었던 책 중에서는 김도현 선생님의 〈장애학의 도전〉 1부에서, 장애 문제가 장애인만의 문제가 아니고 사회 전체의 문제인 이유를 잘 설명하고 있었지요. 모르는 사람들에게 적절한 예를 들어 설명하기 어려울 때 이 내용들을 참고하면 좋겠다는 나눔을 했던 게 기억납니다.

2023년에는 김승섭 교수님의 책 〈아픔이 길이 되려면〉을 읽고 사회적 책임에 대해 나누었어요. '인간의 몸에 새겨진 사회적 경험이 얼마나 강력한 것인지'를 읽으며, 차별로 인한 사회적 경험이 어느 인간에게도 강력한 상처로 남지 않게 하기 위한 고민을 함께했습니다.

2022년 읽었던 〈장애란 무엇인가?〉라는 책에서는 '장애라는 용어'에 대해서, 그리고 '특수교육과 특수교사'에 대해서 생각을 나누었어요. 이날 나눔의 기록이 선생님의 질문에 도움이 될 것 같습니다. 또 2022년에 여름방학 이벤트로 선생님들과 함께 '장애 공감 교육자료'를 개발해 배포했던 일이 있었는데요, 이때의 자료들은 교직원 또는 학부모를 대상으로 적용할 수 있는 것을 목표로 제작했어요. 특히, 드라마 〈이상한 변호사 우영우〉와 책 〈장애인과 함께 사는 법〉을 다룬 자료에서 '함께 살아가기'를 키워드로 오랜 고민을 담아 자료를 엮었는데요, 현장에서 많은 이들에게 감동을 주었다는 후기가 돌아왔었어요.

2021년에는 영화 〈피넛 버터 팔콘〉을 봤어요. 레슬러가 되고 싶어 시설을 떠나는 잭의 여정을 그렸는데, 거기에서 진짜 친구가 되어주는 타일러와 지원자 입장인 앨리너를 보며 많은 생각을 했습니다. 이후에 기회가 있어 다른 분들께도 추천했었는데, '진짜 동료'가 된다는 것의 의미를 생각해볼 수 있어 좋았다고 하셨어요. 또 홍은전 작가의 〈그냥, 사람〉이라는 책을 읽고, '안다는 건 대상을 껴안는 일이다'는 문장을 만났습니다. 안다는 건 생각보다 어려운 일이고, 그래서 더 큰 노력과 힘이 필요하다고 생각했습니다. 때때로 누군가의 알지 못함이 상처로 돌아오지만, 그만큼 어려운 일이기에 함께 해나가야 할 일이기도 합니다.

우리는 계속해서 깨어있으려 노력하고, 현장에서 마주하는 어려움들을 공부하고 나누면서 통과하려고 애쓰고 있지요. 그래서 멈춰있는 듯 보이는 이 사회의 인식이, 가까이에서 같이 일하는 사람들의 차별적인 발언이 더 힘들게 느껴지는지도 모르겠습니다. 어쩌면 예전에는 비슷하거나 작았을지 모를 그들과 나의 인식 차이가, 내가 꾸준히 공부하고 나아감으로써 넓어진 시야 덕분에 더 격차를 넓혀가고 있다는 것을 되뇌며 위안이 되길 바라요. 계란으로 바위를 치는 듯한 이 일들은 혼자서는 용기도 내기 어렵고 막막함에 주저앉기 쉬운 길이지만, 함께하는 동료들이 있기에 힘을 내볼 수 있다고 생각합니다. 한 번에 사회적 인식이 혁명적으로 변화하는 건 불가하겠지만, 우리가 공부하면서 변화하고 성장하는 생각과 실천적 지혜로 우리의 현장을 물들이는 것만으로도 주변의 한 사람을 변화시킬 수 있으리란 믿음으로 계속 함께 가요, 우리.

— 위드 선배, 정유진

#실천적 지혜 #시작
#위드에서의 배움을 현장에 적용한 예
#특수교사의 역할은 어디까지일까?

먼저 올해 장애학이라는 분야에 대해 선생님들과 나눌 수 있는 뜻깊은 자리를 함께 하게 되어 너무 행복합니다. 저는 사실 현장에서 특수교사로서의 저의 방향성을 정립하고 싶었던 것도 컸던 것 같은데요! 위드와 함께하며 읽으셨던 책이나 영화 중에서 깨달음을 얻으셔서 직접 현장에서 적용해보신 사례가 있으신지 선배님들에게 묻고 싶습니다! (예를 들어 장애이해교육에 적용, 수업에서의 적용, 학교 구성원들을 대하는 태도와 같은 것들이요~!)

— 위드 새내기, 주소영

특수학급에서 혼자 근무를 하면서 누군가와 우리 학생들에 대해 이야기를 나눌 기회가 없었습니다. 셋업에 들어와 많은 공부들을 하면서 내가 만나는 장애인에 대한 고민을 했던 것 같아요. 어떤 사람이 장애인일지, 그 사람을 만났을 때 내가 해야 하는 일은 무엇일지, 다른 사람들과 함께 어떻게 해 주어야 하는 것일지에 대해 더 많은 공부가 필요하다는 생각을 했었습니다. 그래서 위드를 선택하여 장애에 대한 공부를 하면서 나의 역할에 대한 고민이 더 생겨난 것 같습니다. 특수교사로서 나는 장애라는 부분을 어떻게 다루어야 할지 더 어려워지는 것 같다는 생각을 합니다.

장애학을 먼저 공부를 하신 선생님들께 묻습니다. 특수교사로서의 역할은 어디까지 일까요? 선생님들이 생각하시는 특수교사란 어떤 것인지 궁금합니다.

— 위드 새내기, 박미선

위드에 들어올 때 개인적인 목표는 단단한 마음을 만드는 것이었어요. 현장에서 우리 아이들과 함께 하다보면 학교에서 받는 상처들이 생기더라구요. 내가 잘 알지 못해서, 혹은 장애이해교육의 내용이 부족해서 등등의 생각이 들었고 똑부러지고 당찬 위드선생님들의 모습을 닮고 싶어 들어왔어요. 저도 그렇게 되고 싶었거든요.

스터디와 동아리를 하면서 여러 권의 책을 읽고 지식을 쌓게 되면서 현장에서 헤매던 부분(장애이해교육, 학생을 대하는 태도 등)도 방향을 다시 한번 잡을 수 있어서 좋았어요. 다만 가끔 제가 이 장애학의 특징 중 하나가 '실천 지향적'인데 제가 어디서부터 무엇을 먼저 실천하면 좋을지 잘 모르겠더라구요. 그러다 보니 장애학을 공부하고 있는 특수교사로서 너무 아무것도 안하고 있는 것은 아닌가라는 생각이 들었어요. 선생님들께서는 위드에서 활동하면서 무엇부터 시작하셨나요? 위드 선배님들의 실천 경험, 첫 발걸음이 무엇이었을지 궁금합니다.

— 위드 새내기, 남기화

우선은 위드 활동을 하면서 실천한 것은 나의 생각과 인식의 폭을 넓혔다는 것입니다. 학생들과 수업하고 학생들과 함께 생활할 때 예전에는 "왜? 안되지...? 왜? 못할까...?"라는 생각을 했다면 위드 활동을 통해서 학생들을 만날 때 "그래 그럴 수도 있겠다. 이게 꼭 올바른건 아니다. 너와는 맞지 않을 수 있다."라고 생각하곤 합니다. 또 위드에서 나는 책 〈장애학의 도전〉 등을 통해, 다양한 장애에 대한 '자기결정권'을 알고 가치관을 정립해 나가는 과정에서 예전에는 교사의 입장에서 경험의 기회를 많이 주려고만 했다면 이제는 학생들에게 먼저 의견을 물어보고 자신이 선택할 수 있는 선택의 기회를 많이 가질 수 있게 하고 있습니다. 잘 되고 있진 않지만 그래도 활동 전반에 자신을 알고 자신이 직접 선택해서 책임감을 가질 수 있는 작은 요소들을 넣어 보려고 하는 중입니다.

위드 활동을 하면서 내가 무엇을 해야 한다고 크게 다짐하고 실천한 것은 따로 없는 것 같아요. 하지만 위드 활동을 하면서 저도 모르게 주변에 있는 지인들 및 동료 선생님들에게 저희 학생들을 대하는 저의 태도와 말투가 그들에게 영향을 주는 것을 경험하는 경우가 많았습니다. 위드를 하고 난 뒤 주변 사람들에게 제가 "왜? 장애인은 그럼 안돼? 장애가 아니더라도 그럴 수 있는데... 장애를 빼고 봐~ 다 똑같아 특별한거 아냐." 이런 말을 자주 하고 다녀서 그런지 저의 주변인들은 "그렇구나.. 그럴 수 있네.. 특별한게 아니네"라는 생각을 아주 가끔한다고 합니다. 이런 것도 위드를 하면서 소소하게 변하는 저의 한 가지 사례와 적용입니다.

과연 특수교사는 어디까지? 어떤 역할까지 해야할까? 이런 고민이 계속 위드 안에서도 나오는 질문인 것 같고, 아직도 어려운 질문 중 하나인 것 같아요. 매번 나오는 질문이지만 위드를 계속하면 할수록 그 정의가 점점 어려워지는 것 같아요. 그렇지만 한 가지 위드를 하면서 특수교사의 역할에 대한 고민을 나눌수록 그 범위와 행동들이 명확해지는 것 같아요. 특수교사는 저희 학생들이 자신이 원하는 삶을 살아갈 수 있도록 인생사용 설명서를 한번 읽어주는 역할 같아요. 그런말이 있죠, 한국인들은 절대 사용 설명서를 보지 않고 설명서대로 사용하지 않는다는 말이요. 특수교사는 학생들에게 인생사용 설명서를 한번은 읽어주지만... 그 설명서에 맞추어 사는 것은 학생들의 취사 선택인 것 같아요.

우리 위드에서 함께 봤던 영화, 〈피넛버터 팔콘〉과 〈우리 사랑 이야기〉에서 보면 장애를 가진 주인공에게 주변에서 충고를 가장한 강압을 이야기 하지만 결국에 자신의 인생 설명서를 선택하는 것은 그들의 몫이였던 것처럼... 우리 특수교사는 학생들이 다양한 삶을 선택할 수 있도록 폭 넓고 자세한 설명서를 만드는 역할을 하면 어떨까 싶어요. 정답은 없지만요. 이러한 설명서를 특수교사로써 잘 만들기 위해서 책 〈사이보그가 되다〉, 〈아픔이 길이 되려면〉, 〈타인의 고통에 응답하는 공부〉 등을 통해 당사자들의 목소리를 담거나 소수의 목소리를 함께 해보는 것을 추천합니다.

— 위드 선배, 조현영

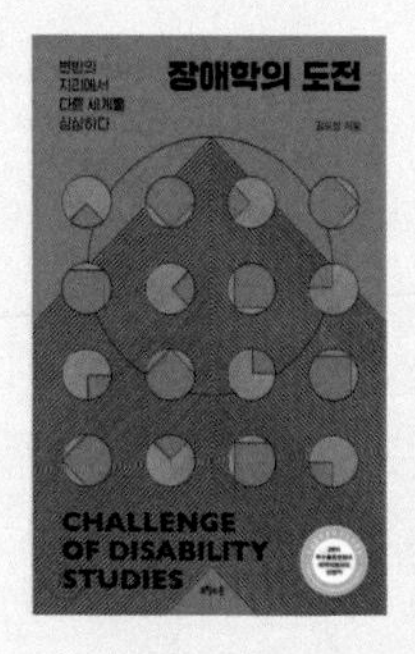

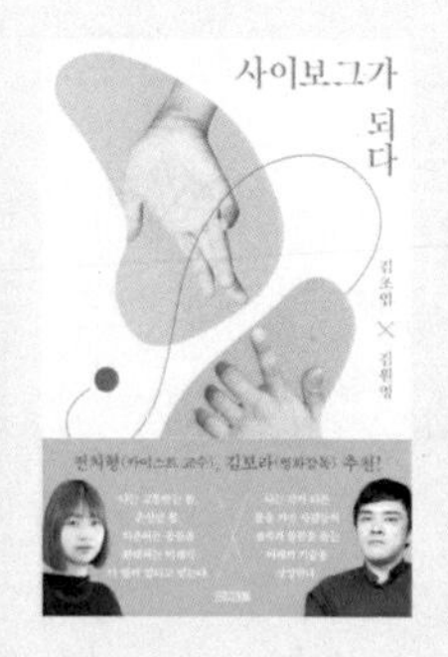

학교장의 책임이라는 명목하에, 특수교사의 업무로... 이전부터 늘 해오던 학교 구성원들에 대한 장애이해교육, 통합교육 연수 등은 숨 쉴 틈조차 없는 3월을 지나 4월까지... 저의 몸과 마음을 무겁게 만드는 가장 큰 이유였습니다. 그럼에도 특수교사의 역할 중 하나로 잘 준비해보자 했던 이유는, 이런 시간들을 통해 서로에 대한 이해와 공감의 경험들이 쌓여 우리가 만나는 아이들이 작게는 학급에서 존중받으며 배움을 이어갈 수 있기를, 넓게는 이 아이들이 자라서 만나게 되는 세상이 모두에게 이로운 방향으로 흘러갈 수 있기를 꿈꾸었기 때문이었습니다.

그런 제가 위드를 만나며 현장에 새롭게 적용하고 실천한 것이 있었을까요?
특수교사의 역할을 정립했을까요?

분명, 위드는 제 특수교사 인생에, 한 인간의 삶에 적지 않은 영향을 주고 있음에도...
오늘도 전 저희 반 학생에게 눈물(아파서 나오는)을 찔끔 짜며 "선생님에게 그렇게 하면 선생님은 아파. 선생님도 아픈 거 싫어!" 라고 이야기(아니, 소리쳤죠)했습니다.

겉으로 보기엔 새롭게 시도한 것도, 크게 변화한 것도 없어 보입니다.

그러나! 가장 크게 변한 제 안의 것이 있다면...
부담스러웠던 통합교육의 현장이
도대체 특수교사의 역할이 어디까지야, 내가 이것까지 해야 해? 했던 물음이
이해되지 않았던 아이들의 어려운 행동이
더 이상, 오랜 시간 저를 불편하거나 힘들게 하지 않는다는 것입니다.

내가 할 수 있는 만큼, 내가 힘들지 않을 만큼, 내가 받아들일 수 있는 만큼
그렇게 시작했기에, 그래도 괜찮다고, 잘하고 있다고, 그 방법이 최선이라고 말해주는
위드가 있어 가능했습니다.

선생님이 만나는 현장의 시작과, 그 시작이 이어진 실천들을 응원합니다.

— 위드 선배, 이희경

#교직생활에 도움 받은 부분들
#변화된 나의 생각과 태도
#성장과 성숙 #넓이와 깊이

저는 이제까지 교직생활 중 만난 아이들을 단순히 내가 가르쳐야 할 장애 학생으로만 생각했던 것 아닐까? 라는 생각을 시작으로- 이 아이들이 커서 같이 사는 내 이웃, 직장 동료, 친구로 어떻게 더 받아들일 수 있을까, 장애를 어떻게 생각해야 하는 게 맞는 걸까- 라는 고민이자 궁금함을 가지고 위드에 오게 되었습니다. 이것저것 잡다하게 건드려 보았던 건 많지만, '장애'라는 것을 본질적으로 생각해보고 고민해본 적이 매우 적은 것 같아요. '장애학'을 다루는 위드의 힘을 빌려, 장애라는 것과 여러 위치에서 다양하게 함께 하고 계시는 다양한 사람들의 관점과 경험, 이야기를 듣고 싶었답니다. 같이 책을 읽으면서, 교사로서도 타인으로서도 그렇고 다양한 관점에서 우리의 일을, 장애를 생각해보고 나눌 수 있어서 정말 좋은 경험을 가지고 있다고 생각해요. 감사드려요~~!

궁금한 점은, 위드 이전에도 열심히 아이들을 가르치셨을 선생님들! 위드를 하면서 아이들과 함께하는 학교생활에, 센터 생활 혹 기타 다른 일에서도 그렇고 변화된 점이 있으신지 궁금합니다. 위드를 하면서 어떤 점에서 가장 변화를 느끼셨나요?! 생각, 태도, 행동… 등 모든 답변 다 환영합니다.

— 위드 새내기, 신현경

제가 위드에 들어온 이유는, 특수교사이면서 '장애를 가지고 사는 삶'에 대해 잘 모른다는 생각이 들어서입니다. 또 근무하면서 '이건 분명 차별인데. 어떻게 반박하지? 어떻게 논리적으로 설득하지?'라는 생각이 들 때 힘들었습니다. 당연한걸 논리적으로 설명해야하는 상황. 그리고 논리적으로 설명한다 하더라도 그게 받아들여 질지는 의문인 상황… 답답한 상황에서 장애에 대한 저의 논리를 갖추고 싶었어요. 시각장애 교수법, 자폐성장애 교수법 등이 아닌 시각장애인의 삶, 자폐성장애인의 삶에 대해 좀 더 알아보고 싶었어요. 그들이 겪고 있는 실제의 삶, 그리고 차별에 대해서 말이에요. 그래서, 장애를 가진 아이 그리고 그 가족에게 실질적인 도움을 주고 싶다는 생각을 하게 되었습니다. 삶을 살아가면서 장애로 인한 수많은 차별을 겪는 당사자, 가족들을 위해, 장애학을 공부하면서 선생님들의 삶이 그리고 장애에 대한 생각과 태도가 어떻게 변화하였는지 듣고 싶습니다. 또한 그 변화들로 인해 학생들, 가족들에게 실질적으로 도움을 주신 경험이나 바뀐 것도 있을까요? 그런 변화들에 도움이 되었던 책이나 영화가 있다면 추천도 부탁드립니다.

— 위드 새내기, 김윤정

저는 제 인생의 절반 가까이를 특수교사로 살아왔습니다. 특수교육은 제 정체성의 꽤 큰 부분입니다. 특수교육대상자와 장애인이 동일한 개념은 아니라고 생각하며 살지만, 특수교육에서 장애에 대한 부분을 다루지 않을 수도 없다고 생각합니다. 그래서 항상 장애학에 대한 궁금함은 있었습니다. 다만, 본격적으로 장애학을 공부하기에는 여러 상황에 어려움이 있어 고민하던 중에 동아리가 생겼고, 여러 선생님들과 함께 책을 읽으며 너무 무겁지 않게 장애에 대한 개념들을 정리해보고 싶었습니다. 더불어 매 학년, 매 학기마다 하는 장애인식개선교육을 제대로 하고있는 것인지, 나의 장애인식에는 문제가 없는지 점검하고 정리해보고 싶었기도 하고요.

위드의 선배 선생님들께서는 어떤 마음으로 장애학 스터디를 시작하셨는지, 교직생활의 어떤 부분에 도움을 받으셨는지 또는 장애학을 공부하면서 더 불편해진 맘을 견디고 있는 지점은 없는지 궁금합니다.

— 위드 새내기, 정미숙

선생님들의 질문을 받고 고등학생 때 사회복지학과와 특수교육과가 어떻게 다른지 잘 몰라서 특수교육과와 사회복지학과를 둘 다 지원했던 기억이 떠올랐습니다. 시각 장애, 지체 장애, 지적장애 등 수많은 '장애'의 영역도 사실은 하나로 묶이기 어려운 광범위한 범주인 것처럼 특수교육과 장애학도 분명 공통점과 차이점이 있었지요. '장애학에 언제 관심을 두게 됐지?' 하고 돌이켜 생각해 보니 장애학도 그게 무엇인지 몰라서 공부를 시작한 것 같아요. 그리고 위드와 장애학과의 만남은 천천히, 조금씩 제 삶에 스며들어 제 시선을 바꾸었습니다. 가장 큰 변화는 장애인을 '받는 사람'으로만 보지 않게 된 것입니다. 우리는 장애 여부를 떠나 모두 연대하는 삶을 살고 있으면서도 특수교사로서 자꾸 아이들에게 무언가를 '해 주려고', '가르쳐 주려고' 했습니다. (직업병이었겠지만요! 하하) 저는 장애학을 공부하며 학생들이 긍정적인 장애 정체감을 형성하고 더 주체적인 사람이 될 수 있도록 하는 교사가 되려고 노력 중이에요. 학생들의 미래를 생각하며 교사인 내가 먼저 조급해지지 않게, 오늘의 더 나은 교실과 내일의 더 나은 삶을 떠올리며 행복하게 살 수 있게 말이죠. 그렇다고 제가 지금 100점짜리 선생님이 되었다거나 어려움이 없다면 거짓말이겠지만, 그럴 때마다 함께 이야기 나누고 반성하고 성장하는 이 시간이 제게는 가장 큰 변화이자 힐링인 것 같아요. 우리가 서로를 믿고 의지하며 '함께 걷는 것'이 왜, 얼마나 중요한지 알기 위해선 책 〈아픔이 길이 되려면〉을 추천합니다. 위드에 오신 신규 선생님들, 격하게 환영합니다! 더 많은 이야기로 풍성해질 위드를 기대합니다.

— 위드 선배, 김솔이

가장 큰 변화를 준 것은 장애인을 무조건적으로 도움을 받아야 하는 약자로 보지 않게 된 것이에요. 개인 신앙적인 이유로 사회 또는 제가 속한 곳에서 도움이 필요한 약자들에 대한 마음이 크거든요. 다른 건 못해도 우는 자와 함께 우는 사람은 되고자 애쓰려고 노력해요. 그런 마음을 바탕으로 불쌍하고 힘든 장애학생들을 가르치는 특수교사가 되었어요.

교직생활을 처음 시작했을 때는 모르는 것들 투성이고 여러 경험들을 하며 경험을 쌓았어요. 한 5년 정도 되니 일도 아이들도 익숙해지며 이 분야에 대해서 잘 알고 있고 잘하고 있다는 생각이 들었어요.

위드에 들어와서 장애학이란 무엇인지, 어떤 관점으로 장애인을 바라봐야 하는지 조금씩 배우고 그동안 내가 우물 안 개구리였구나를 깨달을 수 있었어요. 아직 우물 밖으로 나가진 못하고 우물 밖 세상에 대해서 조금씩 알아가는 것 같아요.

많은 활동 중에 김승섭교수님의 책 〈아픔이 길이 되려면〉을 읽고 나눴을 때 가장 저의 마음을 많이 흔들고 도움이 되었던 것 같아요. 장애 뿐만 아니라 수 많은 사회적 약자들의 모습을 보고 나는 어떤 자세로 이 세상을 살아가고 교사로서 어떻게 서있어야 하는지 고민하게 해준 시간이었어요. 이 책은 다들 꼭 읽어보시길 추천드립니다.^^

그리고 함께한다는 것이 얼마나 큰 힘이 되는지 느낄 수 있었어요. 한 달에 한 번 줌으로 모여 즐거운 이야기, 힘들었던 이야기, 고민을 나누고 함께 고민하는 시간들이 또다시 힘을 낼 수 있는 원동력이 되었어요. 짧은 교직생활 중 가장 힘들었던 해가 있었는데 누구에게도 말하지 못하고 혼자 감내하다가 그 해에만 응급실에 두 번 갔었어요. 많은 검사를 해도 몸에는 이상이 없어 별다른 치료도 받지 못했었죠. 올해도 그때만큼 쉽지 않은 상황이지만 올해는 그 해와는 다른 한 해를 보낼 수 있음을 우리 위드 선생님께 영광 돌립니다~~!

— 위드 선배, 방극열

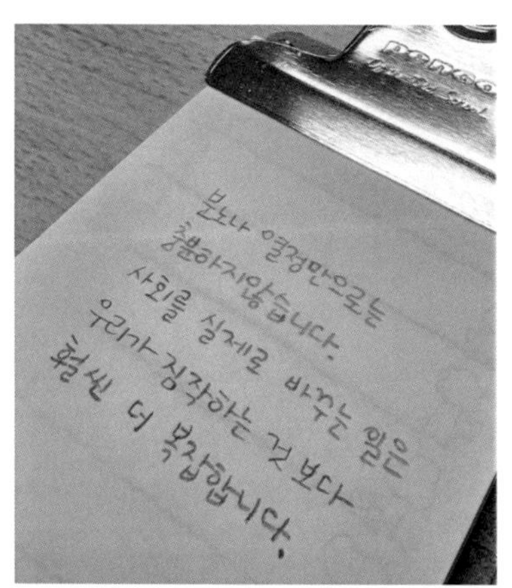

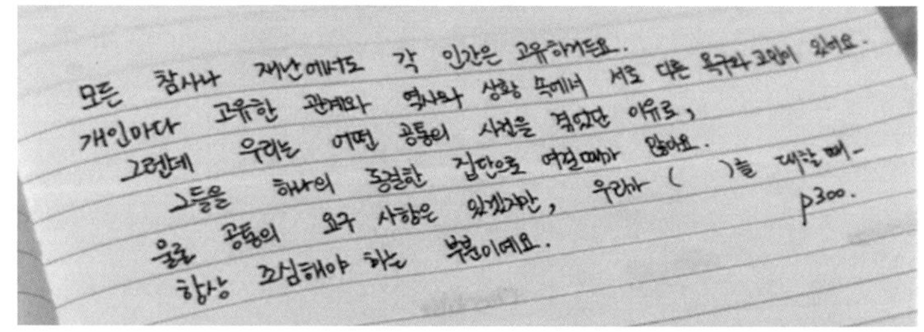

" 저는 그 고통에 누군가가 응답하기 시작할 때라고 생각해요.
그 응답을 잘 해낼수록, 많은 사람이 함께 할수록
그 고통은 공유할 수 있는 이야기가 된다고 생각하고요."

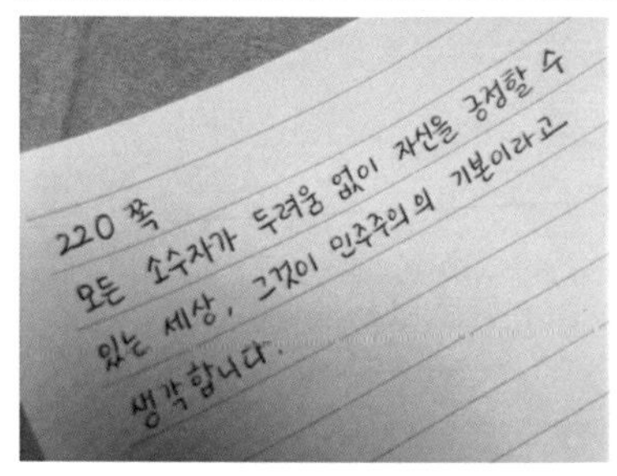

타인의 고통을 아는 것은 어려운 일이니까요. 그러면 조금 침묵하고 기다릴 수 있잖아요.
판단을 유보하고 배워가야지요. 우리가 그만큼 알지 못하니까.

— 타인의 고통에 응답하는 공부 298P.

2024년 4월, 장애학 독서모임에서 책〈타인의 고통에 응답하는 공부〉를 읽고

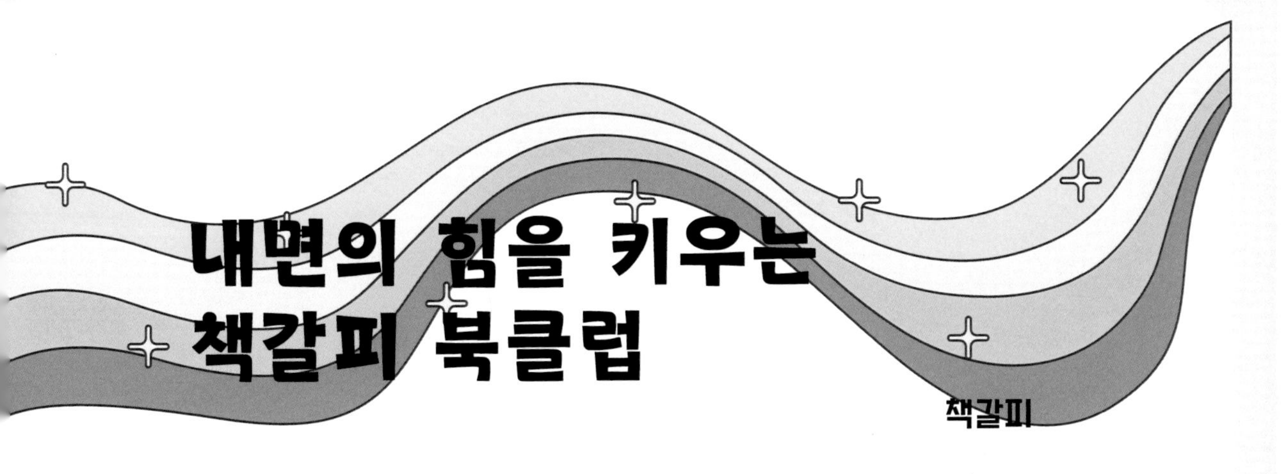

내면의 힘을 키우는 책갈피 북클럽

책갈피

책갈피는 '책갈피 북클럽'이라는 이름으로 독서 모임을 한다. 우리는 책을 함께 읽고 나누며 현실의 늪에서 지친 마음을 서로 위로하고 격려하며 다시 일어설 힘을 낸다. 독서교육 수업 연구도 좋고 독서교육 자료 개발도 좋고 독후감 대회도 좋지만 우리는 내면의 힘을 기를 수 있는 북클럽을 가장 좋아한다. 혼자가 아니라 함께 읽고 나누는 것은 구멍 난 독서를 메꾸게 하고 다른 시각으로 생각해 보게 하며 풍요로운 독서의 세계로 우리를 이끈다. 책갈피는 북클럽을 통해 자신을 찾아가고 서로를 이해하며 학생들을 생각한다.

'책갈피 북클럽'은 각자 책 한 권을 선정하여 발제문을 작성하고 작성한 발제문을 설문으로 만들어 공유한다. 해당 책을 읽고 싶은 선생님들을 참여 의사를 밝히고 책을 읽고 발제문 설문을 작성한 뒤 북클럽에 참여한다. 북클럽을 시작하기 전에 가장 중요한 것이 '발제문'을 작성하는 것이다. 발제는 토론회나 연구회에서 어떤 주제를 맡아 조사하고 발표하는 것을 말한다. 북클럽에서 발제는 자신의 독서를 바탕으로 책의 내용에서 논제를 찾아 문제를 제기하고 배경지식을 활용하여 정리하고 발표하는 것을 말한다. 책갈피 북클럽 발제문에 꼭 들어가야 할 내용이 있다.

첫째, 책에 대한 소개이다. 책을 고른 선생님은 해당 책을 고른 이유, 간략한 줄거리 혹은 주제, 책에 대한 자신의 감상평, 작가에 대한 소개를 쓴다. 책에 대한 소개를 간단히 정리해 두면 완독하지 못하고 참석한 선생님들도 토론 내용을 어느 정도 이해할 수 있고 발제자의 해석과 느낌을 통해 책에 대한 이해가 풍성해진다. 둘째, 어느 책에나 적용할 수 있는 질문을 만든다. 예를 들어서 전체적인 감상은 어땠는지, 인상적인 부분과 이유는 무엇인지, 애정이 가는 인물은 누구인지, 저자가 이 책을 통해 하고 싶은 말은 무엇인지, 내가 주인공이라면 어떻게 했을지 등의 질문이다. 평이하다고 생각되는 질문에서 의외로 다양한 이야기가 오가기도 한다. 셋째, 책의 주제를 관통하면서 책을 깊이 있게 이해할 수 있는 질문을 만든다. 책의 주제, 작가가 말하고 싶은 메시지 등을 이해하여 혼자 읽을 때보다 같이 읽을 때 장점이 극대화되는 질문을 만든다. 질문을 제시하면서 해당 질문을 왜 하게 되었는지 등 질문에 대한 설명과 자신의 답변을 간략하게 소개해 준다면 답변을 작성하는 선생님들이 더 수월하게 자기 생각을 풀어나갈 수 있다.

책갈피는 상반기에 5명의 선생님이 5권의 책을 가지고 북클럽을 이끌었다. 김해든 선생님은 양귀자의 '모순'을, 김효정 선생님은 손원평의 '아몬드'를, 전은지 선생님은 나태주의 '마이너 없이 메이저 없다'를, 이유림 선생님은 장류진의 '연수'를, 윤현지 선생님은 루리의 '메피스토'를 선택하여 북클럽을 운영하였다. 각 선생님의 북클럽 운영 소감과 발제 속 질문은 다음과 같다. 이를 통해 함께 읽고 나누며 성장을 향해 나아가는 책갈피 이야기를 진솔하게 들려주고 싶다.

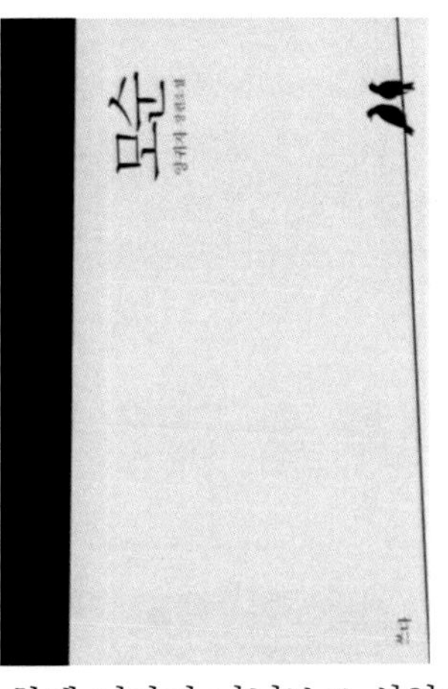

김해든 선생님
『모순』, 양귀자, 쓰다(1998)

결론을 알고 있는 책은 다시 읽고 싶다는 생각을 잘 하지 않는다. 하지만, 다시금 책 속의 문장들을 그리고 주인공 안진진의 선택을, 그것들을 통해 생각하게 되는 나의 모순들을 들여다보고 싶어졌다. '인간은 세상에서 유한한 존재이다. 그런데도 어떤 부분에 영원성을 바라는 자체가 모순적이다'라는 것에 공감하였기에 이 책을 통해 함께 이야기 나눠보고 싶었다. 나의 삶에 모순적인 부분들은 너무나도 많은데 그것을 나 스스로 정리하지 못했기에 다른 사람과 이야기 나누지 못했음을 깨달았다. 작가의 문장을 읽으며 생각보다 명쾌하게 정리되기도, 그리고 내가 이런 문장을 구사하지 못하기 때문에 고민했음을 깨달으며 작가의 대단함을 새삼스럽게 느끼게 되었다. 북클럽을 통해 던지고 싶은 질문을 정리하고 나누며 결국 우리는 모순과 손잡으며 살아감을 그렇기에 실수는 되풀이될 수밖에 없음을 인정할 수밖에 없었다.

- 책을 읽고 간략한 소감과 기억에 남는 구절 혹은 함께 나누고 싶은 문장을 이유와 함께 소개해 주세요. 『모순』 속에 드러난 과장되지 않지만 섬세하고 날카롭지 않지만 날렵한 문장들을 함께 나누고 싶다.
- 이론상의 진실과 마음속 진실은 언제나 한 방향을 가리키는 것은 아닐 때가 많다. 세상의 일들이란 모순으로 짜여있으며 그 모순을 이해할 때 조금 더 삶의 본질로 가까이 다가갈 수 있을 것이다. 인생에서 가장 모순적인 것이 있다면 무엇이 있을지 알려주세요.

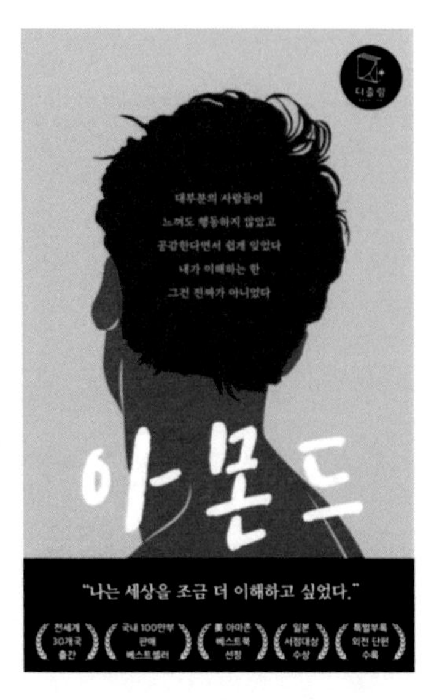

김효정 선생님
『아몬드』, 손원평, 창비(2017),
『아몬드』, 손원평, 다즐링(2023)

정면을 보고 있는 무표정한 얼굴의 소년이 눈에 띄었고 그림과 어울리지 않는 아몬드라는 제목이 흥미로워 읽게 된 책이다. '감정을 느낄 수도, 표현할 수도 없는 주인공 윤재'라는 책 설명을 읽고는 자연스레 내가 가르치는, 가르쳐야 할 학생들이 떠올랐다. 윤재를 중심으로 진행될 책의 내용과 읽은 후 선생님들과 함께 나눌 이야기를 기대하며 북클럽을 준비했다. 막상 책을 읽는 중에는 주인공 윤재보다도 곤이가 마음에 남았다. 초반 부에 윤재와 함께 멀리서 본 곤이는 왜 저럴까 하는 행동을 반복하는 짜증 나는 인물이었다. 하지만 곤이를 알아갈수록 짜증보다는 신경 쓰이는 마음이 커졌다. 곤이가 다른 환경에서 성장했다면 어땠을까, 내가 곤이 담임교사가 된다면 어땠을까 하는 생각이 들며 책이 끝날 때는 초반에 생긴 짜증이 애정이 되었다. 곤이의 과거, 현재 그리고 아직 다가오지 않은 미래가 신경 쓰였다. 아몬드를 읽고 '상대가 어떤 모습이든, 어떤 행동을 하든 변함없이 사랑을 주는 것이 가능할까?'라는 고민을 북클럽에서 함께 나누었다. 상대의 모든 부분을 변함없는 방식으로 사랑하는 것은 어렵지만, 이유가 명확한 사랑이 있을까? 아주 작은 이유에서라도 사랑이 시작되어 내가 사랑하고 소중히 여기는 존재가 된다면 방식이 변하더라도 그 마음은 지울 수 없을 듯하다. 북클럽에 함께한 선생님들과의 이야기를 통해 특수교사로서 그리고 주변 사람들과의 관계에 대해 여러 고민을 할 수 있는 뜻깊은 시간이었다.

- 책에 대한 간략한 감상평과 가장 애정이 가는 인물과 그 이유를 소개해 주세요. 주인공 '윤재'를 중심으로 다양한 환경 속에서 다채로운 성격을 지닌 등장인물들이 책을 읽는 재미를 더한다. 여러 관점에서 입체적으로 묘사된 인물들 덕분에 책을 읽는 내내 여러 등장인물에 관한 생각과 감정이 계속 바뀌었다.

- 손원평 작가는 자신의 아이를 출산하고 육아하면서 『아몬드』를 집필했다고 한다. 작가는 자신의 힘으로 아무것도 할 수 없는 상태로 세상에 던져진 자신의 아이를 보며 생각했다. '이 아이가 어떤 모습이든 변함없이 사랑을 줄 수 있을까? 기대와 전혀 다른 모습으로 큰다 해도?' 그 질문에서 출발해 이 책의 윤재와 곤이가 만들어졌다고 한다. 상대가 어떤 모습이든, 어떤 행동을 하든 변함없이 사랑을 주는 것이 가능할까요? 구체적인 예시를 들어 설명하거나 상상 속의 인물을 설정하여 설명해 주세요.

전은지 선생님
『마이너 없이 메이저 없다』, 나태주, 샘터(2021)

시에 대해 더 관심을 두고 싶었는데 마침 시인이면서 초등학교 선생님이셨던 나태주 시인님의 책이 눈에 들어왔다. 제목은 '마이너 없이 메이저 없다'이다. 그동안 나태주 시인께서 강연하고 들려주셨던 이야기들이 포함된 가벼운 산문책이다. 인생의 선배, 교사 그리고 시인으로서 전하는 이야기를 쉽게 읽을 수 있어 북클럽 책으로 추천했고 다섯 분의 선생님들과 같이 나눔을 할 수 있었다. 시인의 전반적인 역사를 소개하는 1장을 제외하고 2장, 3장, 4장에서 선생님들께 가장 와 닿는 장을 질문하고 두 번째 질문으로는 '인생 사계'라는 말에 대한 개인적 감상 또는 내용에 대한 부연 설명을 요청했다. 인생 사계란 인생에는 네 개의 계획이 있다는 말이다. 우리에게 어떠한 계획이나 마음가짐이 있을까? 선생님들이 기록해주신 응답들은 시의 문장과 아이디어로 사용해도 좋을 만큼 좋은 이야기들이 많았다. 가족, 언어 습관, 직장 생활, 과정과 결과, 나 자신 등에 관한 부분들에 대한 각자의 경험과 계획들이 풍성하게 오가는 북클럽 시간이었다.

- 『마이너 없이 메이저 없다』는 스스로 마이너라 여기고 풀이 죽어 있는 우리에게, 그래도 메이저를 꿈꾸며 오늘도 열심히 살아가는 우리에게 나태주 시인이 건네는 희망과 응원의 메시지를 담고 있다. 4개의 장으로 이루어진 책은 장마다 한 가지의 주제를 가지고 시인이 말하고 있다. 가장 와닿는 장과 이유를 소개해 주세요.

- 선생님들의 '인생 사계'를 소개해 주세요. 인생 사계는 인생의 4가지 계획이라는 뜻으로 하루의 계획은 새벽에, 한 해의 계획은 봄에, 일생의 계획은 부지런함에, 한 집안의 계획은 화목함에 있음을 이르는 말이다. 인생의 목표를 세우고 목표를 향해 사는 것이 쉽지는 않지만 인생사 계를 읽으며 선생님들이 생각하는 삶의 목표나 약속이 궁금했다.

이유림 선생님
『연수』, 장류진, 창비 (2023)

항상 나의 탐구 대상은 사람이다. 한 사람의 인생, 그리고 사람과 사람과의 관계, 무조건적인 선인도 무조건적인 악인도 없는 그저 평범한 아주 보통 사람들의 이야기는 언제나 나의 흥미를 일으킨다. 그 사람들의 이야기를 심각하지 않게 유쾌하게 잘 풀어내는 작가가 바로 장류진 작가였고 연수라는 신작을 냈다는 소식을 듣게 되었다. 선생님들은 이 책에 나오는 인물들에 대해서 어떤 생각을 할까? 궁금증에 북클럽 도서로 추천하였다. 나의 질문 또한 모두 그들과 나를 생각하는 쪽으로 맞춰졌다. 가장 마음이 가는 인물, 가장 싫은 인물, 그리고 나와 닮은 인물들 등. 선생님들의 인생 경험에 맞닿아있는 인물들에 관한 생각과 느낌을 들으면서 공감하기도 하고 또 나와 다른 생각에 놀라기도 하고 또 나에 대해서도 한 번 더 돌아볼 수 있었다. 매년 새로운 아이들, 학부모들을 만나야 하는 특수교사는 직업, 그리고 또 늘 사람을 만나야만 하는 우리네 인생, 완벽할 순 없겠지만, 항상 나의 모든 면을 다 사랑할 수는 없겠지만 때로는 나도 나 자신이 싫을 수도 있겠지만, 좀 더 나은 사람, 좀 더 넓은 사람, 좋은 사람이 되기 위한 우리의 탐구는 멈추지 않을 것 같다.

- 『연수』는 6개의 단편소설을 엮은 단편 소설집이다. 6개의 단편소설의 제목에 소설 속 주제가 많이 묻어나 있다. 가장 인상 깊었던 단편의 제목과 그 제목이 가진 진짜 의미가 무엇일지 선생님들의 생각을 작성해 주세요.

- 이 책에는 다양한 인간군상들이 존재한다. 가장 애정이 가는 인물 한 명과 가장 엮이기 싫은 인물 한 명을 뽑고 그 이유를 함께 이야기해 주세요.

- 이 책을 읽으면서 나의 모습 혹은 나의 과거를 떠올리게 하는 인물이 있었나요? 그 이유는 무엇인지, 그리고 나와 닮은 혹은 나의 상황과 닮은 인물을 발견했을 때의 느낌이나 감정은 어땠는지 이야기해 주세요.

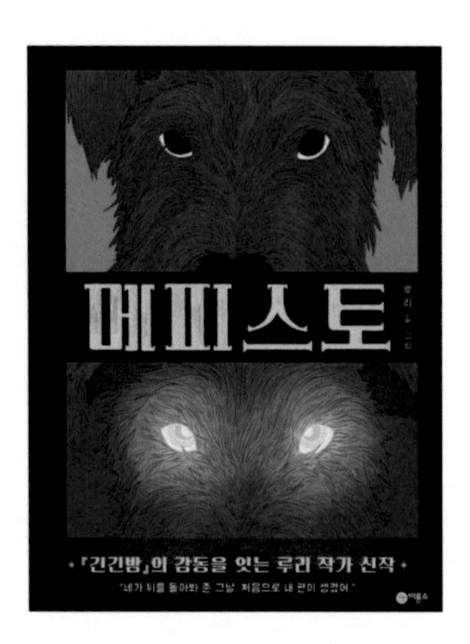

윤현지 선생님
『메피스토』, 루리, 비룡소 (2023)

엄마가 되고 나서야 나의 엄마를 알게 되었고, 엄마가 되어서야 엄마라는 자리의 위엄을 느끼게 되었다. 내 삶에서 출산과 육아는 많은 것을 바꾸어 놓았다. 나에게 『메피스토』는 엄마가 되는 것 그리고 엄마가 되어가는 것에 관한 이야기였다. 이 책은 글이 적은 그림책으로 글보다는 그림으로 행간과 행간 사이를 메꿔가야 했다.

처음에는 이 책이 왜 자꾸 손이 가는지, 왜 나를 울리는지조차 이해하지 못하며 책을 손에서 놓을 수 없었다. 그래서 선생님들과 북클럽에서 함께 읽고 나누고 싶었다. 나조차 다 헤아릴 수 없는 나의 마음을 이해하기 위해 선생님들의 지혜를 빌리고자 했다. 우리는 이 책을 친구와의 우정으로, 엄마와 자식의 이야기로, 외할머니에 대한 회상으로, 외로움에 관한 이야기로, 나의 엄마와 나의 이야기로, 기억에 관한 이야기로 다양하게 읽어냈다.

선생님들과 함께 이 책을 읽으면서 저마다의 경험과 해석을 통해 우리는 더 풍요롭게 책을 이해할 수 있었다. 엄마가 되는 것은 뜨거운 냄비를 잡는 것과 비슷하다는 작가의 인터뷰가 잊혀지지 않는다. 뜨거운 냄비를 처음 잡을 때는 너무 뜨거워 놓쳐버리지만 공들여 만든 음식이 아까워서 혹은 오늘의 끼니를 위해서 뜨거운 냄비를 놓아버릴 수 없게 된다.

그러다 보니 뜨거운 냄비를 점점 더 오래 잡고 있을 수 있게 되었고 뜨거운 냄비를 잘 잡는 엄마가 되었을 것이다. 꼭 엄마가 되는 일이 아니더라도 처음은 늘 힘겹다. 하지만 시간이 지나면 그 힘겨웠던 기억조차도 웃음 짓게 하는 행복했던 기억이 되어있을 것이다.

- 『메피스토』는 글이 적은 그림책이다. 글을 읽는 것보다 그림을 읽는 것이 우리에게 더 풍부한 상상력과 이해력을 요구한다. 우리의 경험에 따라 책에 대한 해석이 달라질 수 있다. 『메피스토』는 어떤 내용인지 자신만의 해석으로 소개해 주세요.

- 가장 기억에 남는 장면과 이유를 설명해 주세요. 이 책은 그림책과 그래픽노블의 중간 형태로 독특하고 자유로운 형식의 그림책이다. 둘의 이야기, 개의 이야기, 소녀의 이야기, 다시 둘의 이야기가 다양한 레이아웃 속에서 서로 맞물리고 오버랩 되면서 이야기가 확장된다. 이야기를 이끌어가는 그림과 마음속 깊이 울리는 글의 조화가 잊을 수 없는 명장면을 만들었다.

- 책은 메피스토와 소녀가 어두운 곳에서 커튼을 걷고 나가며 끝이 난다. 괴테의 『파우스트』의 결말에서 『메피스토』가 시작되는 것처럼 이 책의 결말 그 이후의 이야기를 상상하여 들려주세요.

우리는 왜 미디어 리터러시 교육을 할까?

모미

'모미'의 식구들은 지난 3년간 장애 학생 미디어 리터러시 교육에 대한 열정을 품고 달려왔습니다. 그러다 문득 "우리는 왜 미디어 리터러시 교육에 이렇게 진심일까?" 물음표가 가득해졌습니다. 안 그래도 해야 할 것이 많은 특수교육의 세계에서 외로운 이 길을 우리는 대체 왜 달리고 있을까요? '모미' 식구들이 달리던 걸음을 멈추고 숨을 고르며 터놓았던 이야기를 시작해봅니다.

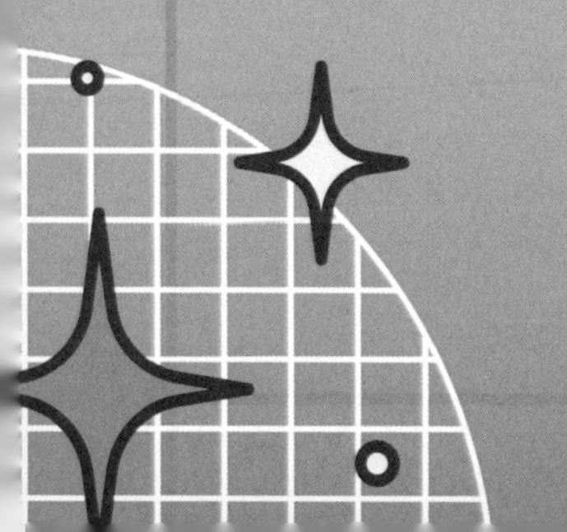

민경쌤의 시작

미디어 리터러시 교육에 관심을 갖게 된 시기는 2020년부터였어요. 코로나로 인해 학생들이 실내에서만 지내는 시간이 많아지면서 미디어 사용량이 급격하게 늘어났거든요. 그때는 학생들의 미디어 사용량을 줄여야 한다는 생각으로 관심을 가지게 되었어요. "하면 안 돼."라는 말을 제일 많이 사용했던 거 같아요. 미디어 리터러시 교육에 대해 잘 알지 못하다 보니, 제 기준으로 학생들이 올바르게 미디어를 사용하고 알차게 사용하는 게 올바른 미디어 사용법이라고 생각했던 거죠. 그러다 셋업 특수교육연구회 모미에 합류하면서 미디어에 대한 생각이 바뀌었어요.

진솔쌤의 시작

저는 특수학교에 처음 발령을 받고 '학생들과 함께 편하게 할 수 있는 동아리가 무엇이 있을까'라는 고민을 했어요. 학생들이 미디어에 관심은 많은데 활용을 다양하게 하지 못하는 모습을 보고 미디어 동아리를 만들었어요. 하지만 미디어 리터러시 교육에 대해 교사인 저부터 확실하게 알지 못하니 학생들에게 제대로 전달을 하지 못하였고, 그냥 다음 해에는 미디어 동아리가 아니라 쉬운 동아리를 개설해야겠다고 포기하려던 찰나, 모미를 만나게 되었고 미디어 동아리를 이어갔어요. 그리고 점점 더 미디어 리터러시 교육에 관심을 넓혀갈 수 있었어요.

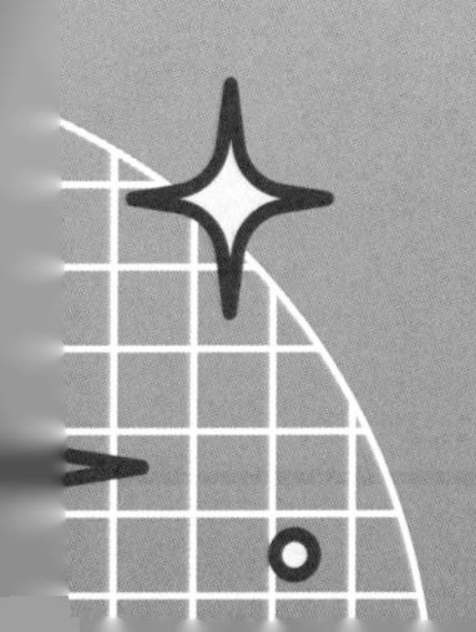

방글쌤의 시작

저는 2017년도에 6학년 학생이 이메일 주소를 만들고 싶다고 말하던 그 날부터가 시작이었던 것 같아요. 학생이 이메일을 잘 유지할 수 있을지, 혹시라도 이메일을 통해 학교폭력에 노출되지는 않을지, 개인정보를 잘 보호할 수 있을지 등등에 관해 학부모님의 걱정과 우려 속에서 긴 상담과 지도를 통해 이메일을 만들었고 아이가 기뻐하던 모습이 지금도 생생해요! 이메일을 만들고 난 이후에는 친구들과 메일을 주고받고 싶어 했지만, 그다음에 학생이 마주한 현실은 학생에게 상처가 되었죠. 그리고 얼마 뒤 코로나가 시작되었고 아이들에게 미디어 노출은(특히 유튜브) 너무 당연해진 것 같았어요. 우리 아이들의 미디어 생활은 혼자 있는 시간을 더 혼자로 만들고, 지금보다 더 외롭게 만드는 게 아닌가 하는 생각이 들었어요. 아이들의 미디어 생활을 막을 수 없기에 아이들이 행복하고 즐겁게 미디어 생활했으면 하는 바람이 생겼고, 그 무렵 셋업에 들어와 모미를 만나게 되었답니다.

주희쌤의 시작

학생들의 미디어가 곧 생활인 걸 발견하면서 관심이 시작되었어요. 유튜브나 SNS 사용을 알려주지 않았는데 너무 잘 이용하는 모습이 참 신기했어요! 그런데 한편으로는 알고리즘이 무한 재생되는 모습이 안타깝기도 했어요. '성인기를 생각했을 때 사회의 다양한 소식들도 미디어를 통해 알면 어떨까?' '그러기 위해서는 미디어 교육이 필요하지 않을까?' 라는 생각이 들었죠. 그런데 막상 교육하려고 보니 어디서부터 어떻게 교육해야 할지에 대한 고민이 커지기 시작했어요. 그런 고민을 하다 정신을 차려보니 모미에 있네요!

성은쌤 의 시작

저는 저부터 시작해요. (웃음) 학창 시절부터 지식에 대한 문제의식이 없이 그대로 받아들이며 생활하다 논술을 쓸 때 너무 어려웠던 기억이 있어요. 그래서 '한겨레'와 '조선일보', '시사저널'과 '시사IN'을 비교하며 비판적 읽기를 공부하며 '리터러시'의 중요성을 느꼈던 기억이 강렬해요. 대입 이후 '리터러시'를 잊고 살았는데 어느 순간 미디어 관련된 매체가 비약적으로 발전했고 정말 아무 의심 없이 쓰는 나 자신을 발견했어요. 문득 '나는 미디어를 잘 쓰고 있는가?', '미디어 리터러시의 비판적 사고를 하고 있나?'에 대한 의문을 품고 미디어 또한 리터러시가 필요하다는 생각이 들었어요. 그래서 미디어 리터러시와 관련된 관심을 가지고 비판적으로 사고하려고 노력하던 와중, 내 교실 속 학생들의 미디어 생활을 알게 되었어요. 생각보다 우리 학생들도 미디어 네이티브로서 미디어에 노출되고 활용하는 경우가 많은데, 대부분 단순한 사용에 그친다고 생각했어요. 그래서 우리 학생들에게도 제대로 된 '미디어 교육', '미디어 리터러시 교육'의 필요성을 느끼게 되었어요.

모두들 각자의 사연을
품었지만 결국엔 아이들의 '생활'에 관심이
많았던 것 같아요. 저 또한 아이들의 미디어 생활을 보면서
중력을 거스르지 못하듯 이끌려 왔네요. 이렇게 시작했던 미
디어 리터러시 교육! 모미와 함께하면서 선생님이 생각했던
미디어 리터러시 교육과 비슷했나요? 기대와 달랐던 부분은
없었나요?

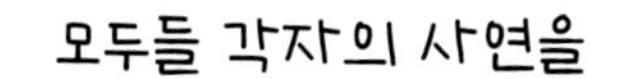

리더의 물음표

'빙산의 일각'에 매력을 느낀 방글쌤

처음 제가 생각했던 미디어는 매우 좁은 세계였어요. 아이들에게 미디어를 활용하는 것만 알려주면 되겠지 하는 생각을 했었어요. 그러다 모미를 만나게 되었고 그제야 알게 된 미리교의 세계는 아주 넓었고, 넓은 만큼 막막하고 어려웠어요. 사실 지금도 정말 어려워요. 장애 학생에게 미디어 리터러시 교육이 필요한 것은 분명한데 적용하자니 어떻게 해야 할까 하는 고민이 끝없이 이어졌어요. 그렇게 첫 일 년을 보냈던 것 같아요. 그런데도 미디어 리터러시 교육의 끊을 수 없는 매력을 느꼈어요. 교사로서 미디어 리터러시 수업에 대한 고민과 가능성에 대한 의심의 다리를 오가지만 아이들이 보여주는 흥미, 시나브로 채워지는 배움의 맛이 있어요. 이건 정말 해봐야 느낄 수 있거든요. 모미 선생님들과 함께하면서 장애 학생을 위한 미디어 리터러시 수업은 불가능한 이유를 찾기보단 일단 해보면서 아이들과 함께 만들어가고 완성해가는 매력이 있어요. 이 매력은 해본 사람만 알아요! 끊을 수 없죠.

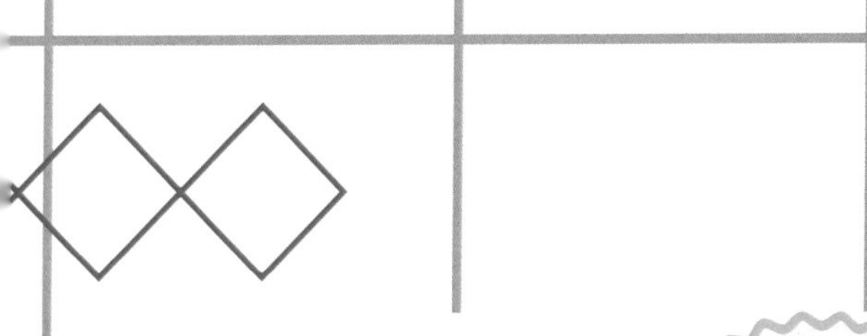

'소통의 장'을 마련한 민경쌤

저도 방글쌤이랑 정말 비슷한데요. 모미를 만나며 제가 생각했던 미디어 리터러시 교육은 정말 협소한 일부분에 불과했음을 알게 되었어요. 다양한 매체(유튜브, 인터넷, 책, 신문 등)를 활용하고 친구들과 자신의 의견을 나누고 매체 속 의미를 파악하는 등 미디어 리터러시가 포괄하고 있는 내용은 더 컸어요. 국어 수업이나 진로와 직업 수업과 연계해서 할 수 있는 교육 내용들도 많았어요. 사실, 모미 선생님들과 함께 미디어 리터러시에 대해 알아갈수록 특수교육대상학생에게 적용할 수 있을까 하는 막막함이 생겼을 때도 있었어요. 그때마다 선생님들과 서로 이야기를 나누며 학생들이 다양한 미디어 매체에 접근하고 미디어에 담긴 의미를 생각하고 친구들과 이야기할 수 있도록 어떻게 접근할 수 있을까에 대해 함께 고민하면서 어렵게만 느껴졌던 미디어 교육을 쉽게 풀어나갔어요. 예를 들어 저는 학생들이 유튜브에서 자신이 보던 것만 보고, 친구들과 자기 생각을 나누지 않는다는 점이 아쉬웠어요. 그래서 점심시간마다 서로 자신이 좋아하는 노래를 유튜브에 검색하고 친구들에게 소개하는 시간을 가지며, 자신이 좋아하는 노래와 친구들이 좋아하는 노래, 친구가 소개한 노래를 함께 들으며 자신의 취향뿐만 아니라 친구의 취향도 함께 파악할 수 있도록 했어요. 서로에게 관심을 가지게 유도하며 미디어를 매개로 서로 소통할 수 있는 장을 만들 수 있어 뿌듯했어요.

'다양성'의 참맛을 느낀 진솔쌤

처음 제가 생각했던 미디어 리터러시 교육은 정말 어렵거나 아니면 아주 단순하거나 이런 느낌이었어요. 미디어를 활용하고 비판하며 이해하고 토론하는 어려운 것이라는 생각과 반대로 심플하게 미디어 사용법을 알고 미디어를 만들어보는 것으로 정리했던 것 같아요. 하지만 모미를 만나며 알게 된 미디어 리터러시 교육은 다양한 수준의 학생들을 포용할 수 있는 교육이라는 생각이 들었어요. 다양한 매체 속에서 학생들의 수준과 취향에 알맞은 매체를 선택할 수 있고, 학생들이 흥미를 느끼고 있는 주제를 미디어 리터러시 교육으로 풀어나갈 수 있다는 점이 참 매력적이에요.

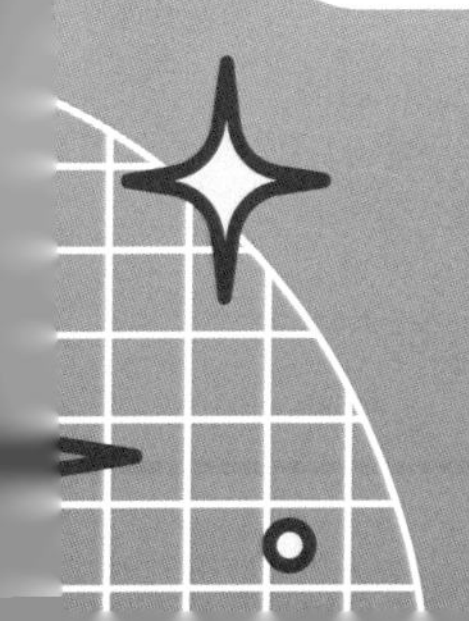

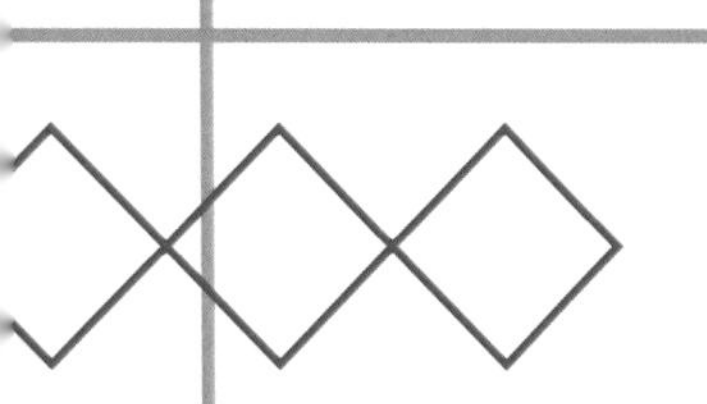

이름이 주는 '편견'을 물리친 성은쌤

막연히 '미디어 리터러시'는 어려운 것이라 생각했어요. 이름부터 어렵잖아요. '미디어 리터러시'는 '비판적 사고'를 바탕으로 해야만 하는 것이라는 편견이 있었는데 모미를 통해서 '미디어 리터러시'에 '비판적 사고'만 있는 것이 아니라 다양한 방법이 있다는 것을 배웠어요. 또한 우리 학생들도 나름의 '미디어'를 활용하고 '리터러시'를 실천하고 있다는 것을 알게 됐죠. 학생별로 필요한 '개별화된 미디어 리터러시 교육(리터러시, 윤리 등 전체적 미디어 관련 교육)'의 필요성을 진하게 느꼈답니다.

미디어를 통해 '실천'에 가까워진 주희쌤

제가 생각했던 미디어 리터러시 교육은 '정보에 대한 탐색' 중심이었어요. 그런데 실제 모미를 통해 미디어 리터러시 교육을 들여다보니 미디어 리터러시가 가진 개념을 정리하고 탐구해서 개별 학생들의 미디어 생활에 적용하는 게 핵심이었어요. 사실 저희 선생님들이 각자 학교급이 다르잖아요. 그러다 보니 같은 개념들을 다양한 장애 학생들의 상황에 폭넓게 고민하고 실천하는 부분이 참 좋았어요. 그리고 저는 작년에 사진 공모전을 처음 함께해봤는데 저희가 실천했던 미디어 리터러시 교육의 의미를 내 교실뿐만 아니라 특수교육 전체가 실천할 수 있는 기회를 만들 수 있어 뿌듯했어요.

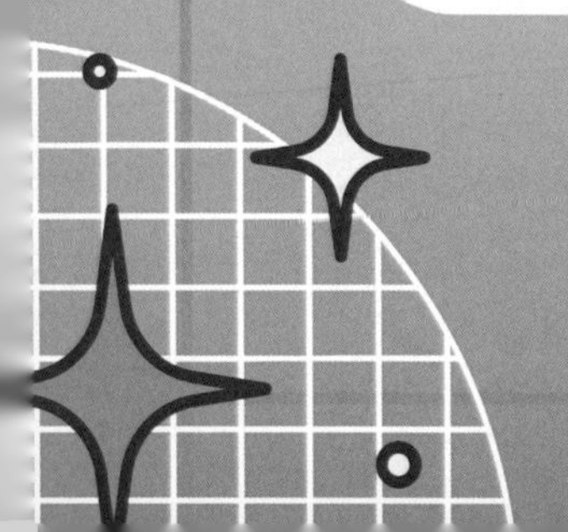

선생님들 이야기를 들어보니 그동안 제가 선생님들에게 참
다양한 방법으로 괴로운 고민을 안겨주었구나 싶네요. (웃음)
저 또한 혼자였다면 미디어 리터러시 교육을 금방 포기하지 않았을까
싶어요. 너무나 중요하고 필요하다는 것은 알지만 그래서 어떻게 해야
할지 막막한 순간들이 많았거든요.
모미 식구들과 함께 고민의 무게를 나눈 것이 우리가 미디어 리터러시
교육을 계속할 수 있었던 비결이었죠.
각종 풍랑과 해일을 겪으면서도 미디어 리터러시 교육이라는
항해를 이어온 선생님의 모습을 돌아보면서
성장과 변화의 지점을 마음껏 자랑해주세요.

리더의 물음표

미디어 리터러시를 이해하는 '나'를 칭찬해요

주희쌤

저는 작년부터 모미에 함께 하면서 '미디어 리터러시'를 이해하느라 바빴어요. 처음엔 참 어렵게 느껴졌는데 개념을 정리하면서 학생들과 어떻게 나아가야 하는지 방향을 잡을 수 있었어요. 학생들이 지금 경험하고 있는 미디어를 시작점으로 잡으면서 자신감이 조금씩 붙었어요 어려웠던 첫 시작을 모미 선생님들 덕분에 해낼 수 있었어요. 특히 선생님들의 교실 이야기를 들으면서 다양한 사례를 접할 수 있었고, 혼자서 생각하지 못한 부분을 발견하고 제 교실에서 다시 생각할 수 있는 제가 되었어요.

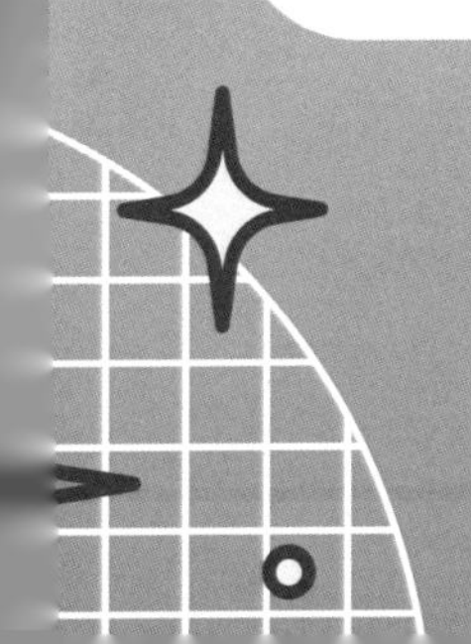

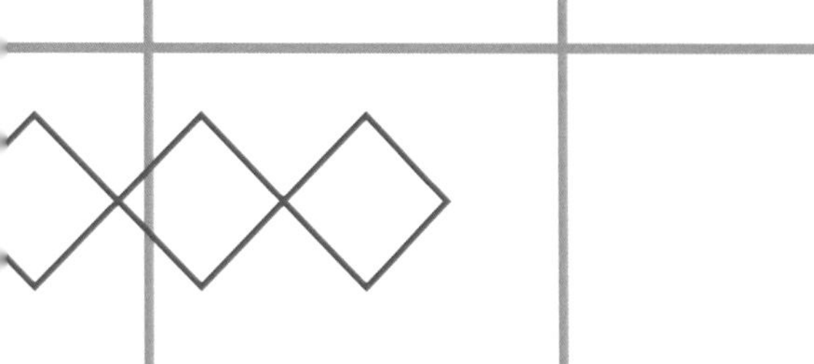

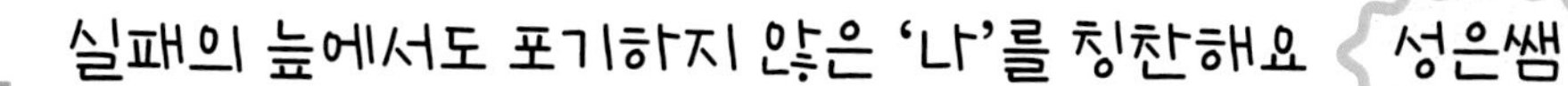

실패의 늪에서도 포기하지 않은 '나'를 칭찬해요 성은쌤

'미디어 리터러시 교육'도 나선형 교육과정처럼 교사 스스로 분석한 순서대로 가르치려다 많은 실패가 있었어요. 기준이 '학생'이 아닌 '교사'였던 거죠. 실패가 많았지만 조금씩 방법을 찾았고, 어렵더라도 학생이 실제 사용하고 있는 '미디어 매체'를 우선순위로 하여 '제작'과 '윤리'부터 '미디어 리터러시 교육'을 진행하고 있어요. 확실히 학생이 흥미 있는 주제여서 그런지 참여 의지가 다르고 성장이 느껴져요. 그리고 모미와 함께하며 꼭 '비판적 사고'가 미디어 리터러시의 전부가 아님을 알게 된 것도 큰 변화인 것 같아요. 다양한 관점에서 미디어 리터러시 교육을 할 수 있는 계기를 만들 줄 알게 되었어요.

학생도 선생님도 성장할 수 있게 만든 '나'를 칭찬해요 민경쌤

일단 저는 아이들의 성장이 뿌듯했어요. 제가 모미를 2022년도부터 시작했는데, 그때 제가 담당했던 학생들이 고등학생 1학년이었거든요. 3년간 미디어 교육과 함께 한 아이들이 고3이 되었는데 학생들의 성장 지점을 발견할 수 있었어요. 뉴스 기사에 관심이 없었던 학생들이 지금은 사회 뉴스에 대해 자기 생각을 먼저 표현하기도 하고 콘텐츠에 담긴 의미를 스스로 생각해보고 친구에게 이야기하는 모습을 볼 수 있었어요. 그리고 저요! 저도 성장했어요. 매년 특수교육 교육과정을 세울 때 어떻게 미디어 교육을 포함할까를 고민해보면서 미디어 교육을 특정 교육으로만 한정 짓지 않게 된 거 같아요. 다양한 교과 수업과 연계하며 자연스럽게 활용한다는 점이 제가 얻게 된 가장 큰 성장이랍니다. 지금은 학생들과 온라인 단체 채팅방을 운영하며, 서로 자신의 일상생활을 나누고 있어요. 학생들이 처음에는 자기 자신의 이야기만 단방향으로 했지만, 지금은 친구에게도 관심을 가지고 쌍방향 소통하게 되었어요. 자연스럽게 온라인 소통 예절도 함께 지도할 수 있으니 더 좋았죠.

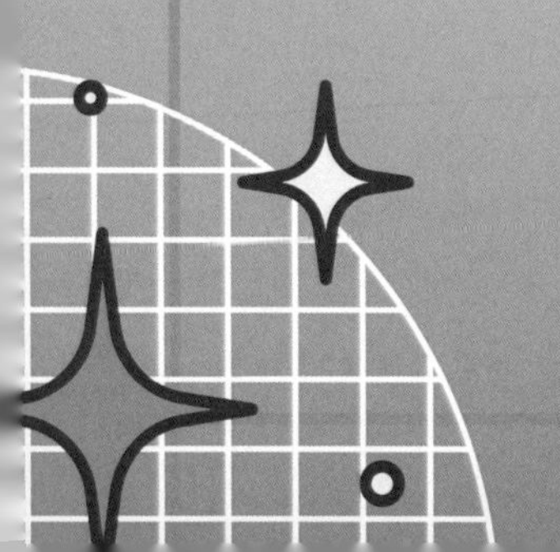

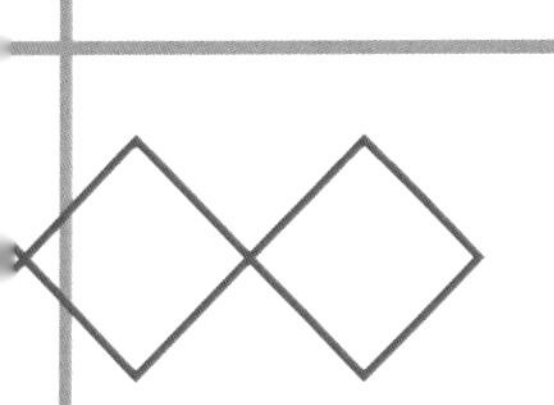

'금지'보다 '방법'을 찾는 '나'를 칭찬해요 방글쌤

처음 교사가 되었을 때는 사실 아이들에게 미디어 노출을 최소화해야지 하는 생각이었어요. 미디어 활용의 긍정적인 영향보다는 교사도 학부모도 아이들의 미디어생활을 검사하고, 통제해야 아이들이 바르게 활용할 수 있을 거라 생각했죠. 그렇지만 모미를 만나 선생님들과 미디어 리터러시에 대해 공부하고 이야기를 나누면서 어느 날부터 조금씩 달라졌어요. 어떻게 하면 아이들이 바르게 사용하고 누릴 수 있을까? 고민하는 저를 발견했어요. 아이들에게 즐거운 미디어 생활을 알려주고 싶었고, 학부모님들도 앞으로 아이들이 만날 세상에서 미디어는 필수 불가결한 존재이기에 미디어 노출에 대한 걱정과 불안보다는 아이들의 생활을 응원하고 지켜줄 수 있는 보호자가 되어주시길 바라는 마음으로 미디어 수업을 고민하는 저를 만났어요!

특수학교 학생들과 희망을 발견한 '나'를 칭찬해요 진솔쌤

솔직히 처음에는 특수학교에 있는 학생들이 미디어를 활용할 수 있을까? 단순히 그냥 사진만 찍어보는 게 다가 아닐까? 라는 생각을 많이 했어요. 때로는 무방비상태에서 특수학교 학생들이 미디어 사용하며 발생하는 위험성, 비롯되는 문제들을 보면서 미디어 활용은 제한해야 한다는 의견을 갖기도 했죠. 하지만 모미와 함께 미디어 리터러시를 공부하고 선생님들의 다양한 의견을 듣게 되면서 특수학교 학생들에게도 미디어 교육은 필수적이며, 단순히 사진 찍기, 스마트폰 사용만이 목적은 아니라는 생각이 들었어요. 단순한 기능을 사용하는 수업의 목적이 아니라 그 기능을 개별 학생의 생활과 연결해본다면 특수학교 학생들의 미디어 리터러시 교육에서도 작지만 큰 의미를 발견할 수 있다는 생각이 들어요.

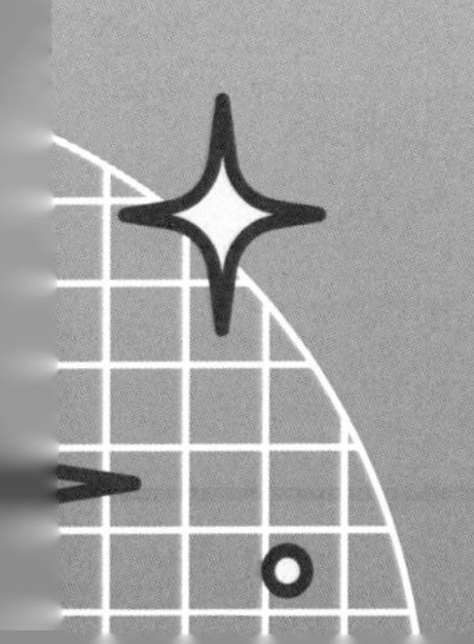

저의 자랑은 모미 그 자체예요!
존재가 자랑이죠. 선생님들의 사례를 들으면서 함께 나누었던 고민, 수업 이야기, 생활 지도 이야기가 주마등처럼 스쳐 가네요. 학교급도 지역도 모두 다른 우리가 '미디어 리터러시 교육'이라는 연결 고리로 인연을 이어가는 것이 신기하고 감사한 일이라고 생각해요. 마지막으로 특수교사로 만난 미디어 리터러시 교육에서 선생님께서 도전해보고 싶은 목표가 있다면 들려주세요.

리더의 물음표

유튜브 생활을 이야기 나누는 교실을 꿈꾸는 방글쌤

아이들과의 유튜브 생활을 자연스럽게 공유하고 싶어요. 공부가 아닌 일상을 공유하는 대화의 소재로요. 각자가 좋아하는 유튜브 채널을 공유하고 어떤 점이 좋은지, 최근에 유튜브에서 본 인상 깊었던 부분을 친구들과 공유하고 서로 추천도 하며 아이들이 미디어 생활을 자연스럽게 이야기하고 공유하는 학급 분위기가 형성되었으면 하는 바람이 있어요. 아직까지는 "유튜브는 오래 보면 안 돼." "핸드폰을 오래 가지고 있으면 안 돼." 라는 제약적인 분위기가 만연한데요. 금지가 오히려 아이들을 더 음지로 몰고 갈 수 있다는 생각이 들어요. 아이들의 생활 속에서 유튜브는 너무 당연한 일상의 한 부분이기에 친구들과 대화의 물꼬를 트고 서로를 알아가는 시간을 만들어갈 수 있었으면 하는 마음이에요. 자연스럽게 아이들의 본 모습을 만날 수 있지 않겠어요?

사진을 통해 마음을 주고받는 교실을 꿈꾸는 민경쌤

올해 창의적 체험활동 동아리는 학생들의 의견을 수용하여 사진 동아리로 개설했어요. 동아리 시간이 되면 학생들과 인근 공원이나 학교 내외 공간에서 사진을 촬영하고 있어요. 촬영한 사진들은 온라인 단체 채팅방에 올려 서로 피드백을 주고받는 시간도 가지고 있답니다. 꽃 사진, 인물 사진 등등 촬영하면서 학생들이 수동적인 촬영이 아닌 능동적인 주체자로서 사진을 촬영하는데 중점을 두고 지도하고 있어요. 올해는 사진에 담긴 의미를 고찰하고 평가하며 서로 의견을 나누는 학생들로 성장할 수 있도록 지도하고 싶어요!

미디어로 경험과 흥미를 넓히는 교실을 꿈꾸는 진솔쌤

2022 개정 교육과정 중 공통교육과정 국어과에 매체 영역이 추가되었어요. 기본 교육과정 국어과에는 매체 영역이 없지만 특수학교 저희 반 학생들의 수준을 고려해서 학급 교육과정 재구성을 할 때 작은 부분이라도 적용해보고 싶어요. 특수학교 학생들의 한정적인 경험과 흥미를 다양한 매체를 활용하여 더 넓혀보는 경험을 한다면 저도 학생들도 한층 더 성장하겠죠?

교과와 미디어 리터러시가 만난 교실을 꿈꾸는 성은쌤

'미디어 리터러시 교육'을 교육과정 재구성을 통해 수업으로 연결해보고 싶어요. 현재는 교과에서 미디어 리터러시 교육을 다룬 경험이 적은데요. 조금 더 다양한 방식의 '미디어 리터러시'를 '교과' 수업에 녹여내고 싶어요.

미디어 리터러시 교육과정을 품은 교실을 꿈꾸는 주희쌤

장애학생에게 적합한 미디어 교육에 대해서 연간 교육과정을 설계해서 수업해 보고 싶어요. 2022 개정 교육과정을 보면서 '미디어'에 대한 중요성이 커지는 것을 느낄 수 있었어요. 아마도 사회 변화도 반영한 결과겠죠? 단편적인 수업도 좋지만 긴 호흡으로 학생들이 필수적으로 배워야 하는 내용을 구성해서 수업의 맥이 연결되는 수업을 설계하는 것이 목표예요!

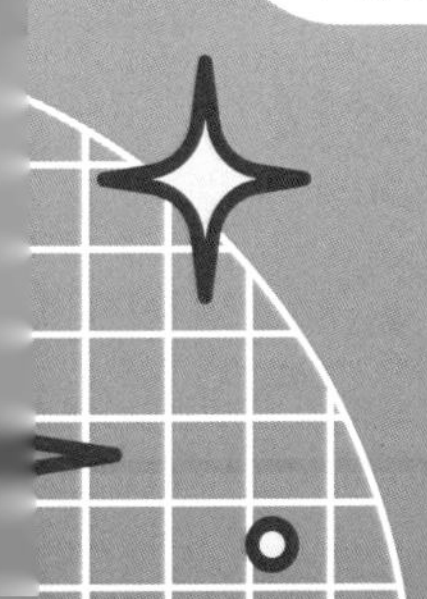

제 꿈은 미디어 리터러시
교육을 하는 우리가 지치지 않는 게 목표랍니다.
미디어 리터러시 교육은 실천한다고 해서 바로 변화가 나타
나지도 않고, 실천하지 않는다고 해서 우리의 교실이 즉각 어려워지진
않아요. 꾸준히 해도 원점으로 돌아가기 일쑤에요. 교육의 지점이
'교실'이 아니라 학생들의 '미디어 세상' 즉 '삶'과 연결되어 있기
때문이죠. 하지만 우리가 걷는 특수교육이라는 길은 그 어떤
교육보다도 '삶'을 향해 나아가기에 누구도 시키지 않았지만
모미의 식구로 살아가고 있는 게 아닐까요?
자, 그럼 쉬었으니 다시 달려볼까요?

리더의 물음표

미디어 리터러시 교육이 이어준 모미 식구들

'모미' 식구들이 미디어 리터러시 교육을 하는 이유는 읽으셔서 아시겠지만 별다를 게 없습니다. 그저 우리가 특수교사로 살아가기 때문입니다.

취향과 질문이 있는 그림책 수업

지그재그

김현섭 선생님이 쓰신 〈질문이 살아있는 수업〉의 책 소개를 보면 이런 말이 나온다.

'학문'이란 글자 그대로 풀이하자면 '배움과 질문'이다.
즉, 질문하고 생각하는 것을 통해 배우는 것이 학문의 본질이라는 것이다.
질문은 학문과 배움의 출발점이다.

이렇게 질문은 수업에 있어 굉장히 중요한 요소로 시간이 지날수록 질문의 중요성이 더욱 더 강조되고 있다. 질문의 중요성이 커짐에 따라 학생이 질문하는 능력을 키워갈 수 있도록 돕는 교사의 역할도 커지고 있다. 그림책 수업 역시 마찬가지이다. 그림책을 읽고 학생들이 스스로 질문을 만든 후 그에 대한 해답을 찾는다면 그림책을 더 깊이 이해하고 큰 배움을 얻을 수 있다.

올해 지그재그는 그림책사랑교사모임에서 쓴 〈질문이 있는 그림책 수업〉을 읽은 후 그림책 수업을 하는 데 있어 학생들에게 적절한 질문을 이끄는 방법에 관한 공부를 시작했다. 이 책에는 여러 가지 질문법과 그림책들이 나오고 이러한 질문법들을 적용하는 방법과, 학생들이 질문을 만드는 과정 및 활동들이 구체적으로 제시되어 있다. 질문법에 대한 내용과 구체적인 활동이 궁금하다면 책을 읽어보는 것을 추천한다. 이런 책의 내용을 바탕으로 매달 지그재그 선생님들의 취향이 가득 담긴 그림책을 읽고 책에 나온 질문법을 통해 질문을 만드는 방법을 적용하며 질문을 만들어 낸다. 그 후 질문에 대한 답을 나눔으로써 보다 깊이 있게 그림책을 읽고 있다. 교사의 경험을 바탕으로 현장에서 특수교육대상 학생들에게 적용할 수 있는 방법에 대해서도 고민하며 특수교육 현장에서의 질문이 있는 그림책 수업에 도전해보고자 한다. 상반기에 선생님들과 나눈 그림책 및 질문과 그에 대한 선생님들의 해답을 구체적으로 소개해보면 다음과 같다.

#곰아, 괜찮아? #다카시 질문법

곰과 함께 밖에서 놀고 싶은 오리와 모든 것이 세상 귀찮은 곰의 이야기! 오리는 이웃집에 사는 곰과 함께 밖에서 놀고 싶어 새로운 놀이와 활동들을 제안한다. 그러나 곰은 너무 추워 나가고 싶지가 않는다. 결국 오리의 성화에 못 이겨 밖으로 나온 곰과 오리는 어떻게 놀았을까? 서로 다른 성향의 두 친구의 이야기를 보고 다카시 질문법을 바탕으로 질문을 만든 후 성향이 서로 다른 인물들이 함께 할 수 있는 방법에 대해 이야기를 나누었다.

Q. 곰이 이사 가지 않기 위해 곰과 오리가 서로에게 해줄 수 있는 일들은 무엇이 있을까요?

곰이 오리에게 해줄 수 있는 일

- 오리가 하루에 함께 하자고 제안하는 많고 많은 것 중에 2가지는 함께 한다.
- 함께 하지 못할 땐, '아니'라는 대답 대신 '미안해'라고 한다.
- 오리에게 언제 놀면 잘 놀 수 있을지 미리 약속한다.
- 오리가 말할 때 거절만 하는 것이 아니라 거절하는 이유를 구체적으로 대답한다.
- 오리랑 계 모임을 만들어 주기적으로 만난다.
- 오리에게 약속 가이드 라인을 말해준다.
- 오리가 같이 놀자고 하면 잠깐이라도 재미있게 놀아준다.
- 오리가 귀찮게 할 때 "집에 가!"라고 단호하게 말하지 않고, "이젠 쉬고 싶어~ 우리 내일 또 만나서 재미있게 놀자~"라고 말해준다.
- 자연과 친구에게 고마운 마음을 표현하는 연습을 한다.
- 혼자 있고 싶은 시간을 알려주고 오리와 놀기로 한 시간에는 함께할 수 있는 일들을 생각해 보고 오리에게 먼저 제안한다.
- 오리가 말을 할 때 최소 3초는 오리의 눈을 바라보며 고개를 끄덕여준다.
- 곰이 영화를 좋아한다면 오리와 함께 영화를 보러 가서 영화를 보는 동안 곰은 휴식을 오리는 함께하는 즐거움을 느낀다.
- 긍정적인 대답이든 부정적인 대답이든 오리를 무시하지 않고 대답해준다.
- 무언가 하고 싶은 게 생기면 오리에게 연락해서 오리와 함께한다.

오리가 곰에게 해줄 수 있는 일

- 사전에 곰과 만나기로 약속한 시간 외에는 연락하지 않는다.
- 이미 '아니'라고 대답한 질문을 반복하지 않는다.
- 곰이 다른 일을 하고 있으면 곰의 시간을 배려한다.
- 곰이 어떻게 놀아야 재밌어할지 고민해 본다.
- 일기를 써서 자신의 정리하며 곰과의 관계보다 스스로에게 집중한다.
- 운동한다.
- 곰이 3번 "아니"라고 대답하면 더 이상 질문하지 않는다.
- 곰이 필요하다고 할 때, 필요하다고 하는 것을 도와준다.
- "~할까?"가 아니라 "같이 ~하고 싶어"라고 자기가 하고 싶은 것을 솔직하게 말한다.
- 하기 싫은 곰의 마음을 인정해 준다.
- 곰에 관해 관심을 가지고 잘 살핀 후 곰이 부담스럽지 않아 하는 친절의 적정선을 찾는다.
- 곰의 표정을 살펴보며 곰의 진짜 마음을 알아준다.
- 곰이 조용한 것을 좋아한다는 것을 이해하고 혼자만의 시간을 존중해 준다.
- 꼭 곰과 함께하고 싶은 것이 있다면, 곰에게 먼저 물어보고 계획을 한 후에 함께한다.
- 곰이 소리를 지르면 멈추고 곰이 하라는 대로 한다.
- 곰 인형을 두고 점진적으로 혼자 해본다.

#나는 그렇고 그런 고양이가 아니야! #스캠퍼 질문법

다른 고양들과 똑같은 그렇고 그런 고양이가 아닌 고양이의 이야기! 그렇다면 어떤 고양이일까? "고양이는 물을 싫어해", "아니 난 물이 좋아!", "고양이는 고기와 생선을 좋아해.","아니 난 채식주의자인걸!" 세상이 가진 편견을 깨버리는 고양이의 이야기이다. 이 그림책을 읽은 후 스캠퍼 질문법을 바탕으로 어떤 질문을 나누었을까? 지그재그 선생님들이 나누었던 이야기를 함께 보자.

이 세상에서 "그렇고 그래야지."라는 말이 사라진다면 어떨까요?

너무 편한 세상이 될 것 같아요! 저는 편견덩어리인 사람이라 K-장녀로서 "장녀는 그래야 돼" , "교사는 그래야 돼", "친구는 그래야 돼" 이런 생각으로 가득 차서 때로는 스스로를 채찍질하는데 그렇고 그래야 돼 라는 말이 사라진다면 저를 둘러싼 편견은 없애고 조금은 더 자유롭게 제가 하고 싶은 대로 하면서 살지 않을까요?!

그렇고 그렇게 해야지 라는 말이 사라진다면 조금 더 당당하게 말할 수 있을 텐데! 맡고 있는 업무에 있어서도 효율적인 방법을 주장할 수 있고, 내 삶을 누군가에게 전할 때에도 좀 더 당당하게 말할 수 있을 것 같습니다!

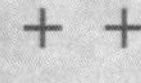

지금 편견이 있던 상태에서 그대로 사라진다면, 속 터져 죽는 사람들이 생기지 않을까요? 오늘만 해도 "학생이라면 그래야지.", "~해야지", "학교에 오면 OO 해야지"를 외쳐댔던 거 같은데... 반대로 교사가 아닌 '나'를 보면 자유로워질 것 같기도 해요. 그런데 조금 겁도 날 거 같아요. 사실 어떤 것이든 무에서 유를 창조하는 것보다 예를 보고 변형하고 모방하면서 더 나은 것으로 바꿔가는데, '그렇고 그런 것'이 없다면 뭐가 나은지 알고, 뭐가 옳은지 판단할 수 있을까?라는 생각이 들어요. 그렇다면 편견과 기준은 어떻게 다를 지에 대해서도 생각해 보게 되네요.

나로 대입해 보자면 지금의 '나'이지만 지금의 '내'가 아닌 모습이었을 것 같아요. 훨씬 자유로운 생각들을 하며 그림책 속 고양이처럼! 도도하고, 당당하면서 주눅 들지 않고 나를 마음껏 보여줬을 것 같아요. 몇 살 땐 이래야지, 이럴 땐 이래야지, 선생님은 이렇게 해야지, 여자는 이래야지~라는 것들이 사라지길 바라면서도 사실 그 생각에 가장 갇혀 있기도 한 것 같다는 생각이 들었어요. 그래서 파란색 선글라스를 사서 나도 그렇고 그런 내가 아닌! 내가 되고 싶다는 생각을 했어요.

사람들이 내 생각과는 다르거나 나도 모르게 차별하는 행동, 흉보는 행동 등이 많이 줄어들 것 같아요. 그리고 "자고로 OO은 그렇고 그래야지~"라는 고정관념이나 편견에 대해 이야기를 할 때 그 말이 무논리임에도 불구하고 밀어붙이는 사례들이 사라질 것 같아요. 하지만 추가적으로 또 저 말을 대체하는 다른 말이 생겨날 것 같다는 생각이 드네요^^

그렇고 그래야지 라는 말이 사라진다면 모든 사람들이 각자가 원하는 삶을 만들어갈 수 있지 않을까요? 각자의 개성이 가득한 사람들을 보면 그 사람도 행복하고 보는 사람도 행복할 텐데! 선생님에게 그렇고 그래야지 라는 말이 사라지면 모든 교실은 다 다른 모습이 되어있지 않을까요! 너무 멋진 모습일 것 같아요!

고양이는 생쥐와 더 가깝게 지낼 수 있을 것 같아요. 책에 나온 '상자를 좋아해야지, 유연해야지'와 같은 말들 외에도 일반적으로 매체 속 고양이는 생쥐와 적대적인 관계를 가지잖아요. 그림책 속 고양이는 생쥐와 친밀한 관계를 가지지만 마음속 물음표가 있었을 것 같아요. 그래서 다른 고양이들의 시선이나 말로부터 자유로워진다면 둘의 우정이 더 견고해지지 않을까 생각해 봅니다.

종종 학부모님께서 아이가 정리정돈을 못하는 것에 대해 걱정을 털어놓는 경우가 있어요. 그런데 저도 집에서는 그렇게 정리를 하지 못하기에 그럴 수도 있죠~하며 그냥 멋쩍게 웃어넘겼던 상황이 떠올랐어요. 선생님이라면 친절하고, 정리정돈도 깨끗하게 잘하고 규칙적으로 생활한다고 생각하는 경향이 있는 것 같아요. 물론 학교에서는 깔끔하려고 노력은 하지만 집에서의 저는 그렇지 않을지도... 학교에서는 계획적이지만 집에서는 늘어지게 잠자면서 여유를 부릴지도... 그렇고 그래야지라는 말이 사라진다면 모범적인 모습을 보이지 않아도 선생님일 수 있지 않을까요?

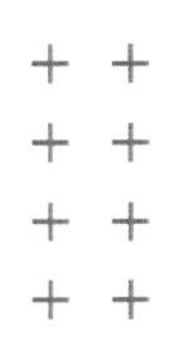

내가 가지고 있는 역할에 대한 부담 없이 자유롭게 살아갈 수 있지 않을까요? ^^ '엄마는, 교사는, 여자는, 딸은, 며느리는, 나이가 들면'... 그렇고 그래야지 라는 말이 사라진다면 어떨까요? 자유로울지 방황하게 될지... 그렇게 다시 살아보고 싶다는 생각이 들어요~ 하지만 한편으론 한 사람 한 사람 신중하게 관계를 맺을 수 있기는 하겠으나 묶이지 않으니 인지적인 과부하가 올 수도 있겠어요. 어떤 것이든 '적당히'가 좋은 듯하네요.

지극히 평범하고 평균의 삶을 살고 싶은 나에겐 그렇고 그런 것들이 살아진다는 건 좀 슬픈 일 같아요. 모두가 자기만의 선글라스를 끼고 세상을 바라보고 각자의 방식대로만 살아간다면 관계는 맺을 수 있을까? 따로 또 함께할 수 있을까? 다름도 좋지만 공유하고 공감할 수 있는 그렇고 그런 것들이 아주 조금은 있어야 하지 않을까?라는 생각이 들어요.

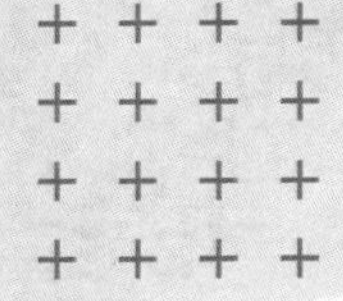

#한 사람 #DVDM 질문법

때로는 모든 사람이 내 편이 아니고, 세상엔 나 혼자라고 느껴지는 순간들이 있다. 그때 한 사람이 옆에 서준다면, 한 사람이 두 사람이 되고, 세 사람이 되고 더 이상 혼자가 아닌 존재가 되는 우리의 이야기를 읽고 생각을 나누었다. 지그재그가 나눈 질문과 대답들을 함께 보고 질문에 대한 나의 대답을 생각해 보는 건 어떨까 제안해 본다.

Q. 연대하기 위한 나만의 방법 또는 꿀팁이 있다면 무엇일까요?

'연대'라는 단어는 저에겐 무척이나 거창하고 의미심장하게만 느껴져요. 사회문제에 그다지 관심도 없고 누군가의 목소리에 힘을 보탠 경험은 아주 오래전 노란 리본 물결이 광화문을 뒤덮었을 때 단 한 번뿐이거든요. 사회문제에 공감은 하지만 바로 옆에 머물러본 적은 없다는 뜻이지요. 특수교육을 하면서도 '연대'의 의미를 상기해 본 적은 없어요. 통합교육은 늘 어렵고 관리자를 설득하는 일도 하기 싫지만, 그냥 하는 것 같아요. 가끔 우리 아이들을 배제하려 애쓰거나 그냥 투명 인간 취급하는 교사도 있지만, 한 달 두 달 아이가 나름 애쓰고 있다는 걸 알면 조금은 알은체해주면 그걸로 만족하면서요. 그 사람은 그 사람은 직접 장애물을 만나지 않는 이상은 1년 우리 아이들을 경험하는 걸로 절대 이해하려고 노력하지 않을 거라 저 스스로 단정 짓고 있기에... 그리고 그 사람의 상황도 이해가 가기 때문에요. 늘 일이 버겁고 아이들을 감당할 수 없는데 우리 반 아이까지 관심을 쏟을 여력이 없을 테니까요. 저도 노력하지 않고 그 에너지를 제 일에만 쏟고 있는 것 같아요. 그래서 '연대'를 위한 나만의 팁은 없어요... 그냥 제 일을 하며 기다리는 수밖에...

'상대에게 몰입하기'

연대하고자 하는 사람과 이야기를 많이 하고 그 사람이 어떤 감정인지, 어떤 상황인지 정확히 아는 것이 중요하다고 생각해요. 내가 연대하고자 하는 행동이 선함에서 나왔더라도 당사자에게는 큰 위로가 되지 않을 수 있기 때문이에요. 물론 상대방이 원하는 것을 알기 매우 매우 어렵지만 그만큼 연대를 위해 에너지를 쏟아야 한다고 생각해요.

'내가 누군가의 한 사람이 먼저 되어주기'

저도 다양한 상황에서 외롭다고 느꼈던 때가 있었는데 그런 상황에 많이 있다 보니 나와 비슷한 상황에 처한 사람에게 눈길이 더 가더라고요. 그래서 그때마다 먼저 다가가려고 노력하는 것 같아요. 이렇게 먼저 다가가 한 팀이라고 느끼는 경험이 쌓일수록 상대방도 제 편에 서주는 일들이 많아지는 것 같다고 느꼈어요. 그리고 한 가지 더하자면 솔직함도 필요한 것 같아요. 나 혼자 끙끙 앓고 있으면 아무도 모를 때가 많아서 힘들 때나 도움이 필요할 때 함께 해달라고 솔직하게 털어놓기! 좋은 사람들이 곁에 있다면 제 곁에 한 사람이 두 사람, 세 사람 점점 늘어나는 경험을 하다 보니 제 삶도 외롭지 않게 된 것 같아요.

옆에서 지지하고 같은 문제를 공유하는 사람이 있다는 것을 그 '한 사람'에게 그리고 다른 사람들에게 보여주는 방법이 있다고 생각해요. ' 한 사람'만 서있을 때는 아무도 그 근처로 다가가지 않지만 누군가가 먼저 다가가고 그 옆에 또 다른 누군가가 서는 것을 보면 사람들은 문제를 공유하고 함께 해결해 나가야겠다는 마음이 생기는 것 같아서 먼저 다가가서 옆에 서있을 수 있는 한 사람이 되고 싶어요. 아이들에게도 부모님들에게도 그리고 사회적 차별 속에서 소외를 느끼고 있는 누군가에게도 옆자리에 서서 문제를 공유하고 논의하고 지지하는 사람이 있다는 것을 보여주고 싶어요.

'연대하는 사람을 이해하기'

이 책을 읽기 전까지는 연대에 대해 크게 생각해 본 적이 없었던 것 같아요. 그런데 이 책을 읽으며 연대에 대해 생각해 보게 되고, 내가 겪었던 연대, 힘들었던 연대를 생각해 보게 되면서 어떻게 하면 연대를 잘할 수 있을지 저의 경험을 떠올려봤어요. 연대하면 가장 먼저 떠오른 건 좋은 연대가 되고 있는 주변의 특수선생님들이에요. 그런데 선생님들의 얘기를 들으며 그 밖의 연대를 떠올려보니 특수선생님들과 좋은 연대가 되었던 이유는 서로의 입장을 너무 잘 아는 사람들이기 때문인 것 같아요. 이런 관점으로 봤을 때 통합학급 선생님, 학부모님과의 연대가 어려운 이유는 각자의 입장이 너무 뚜렷하기 때문이 아닐까라는 생각이 들었어요. 연대가 잘 되기 위해서는 서로의 입장을 잘 이해하고, 그걸 있는 그대로 받아들이며 서로를 존중하면 좋은 연대가 되지 않을까 싶어요! ('상대의 입장에서 쓰인 글이나 책들을 읽어보면 도움이 되지 않을까'라는 생각이 들어요.)

좋은 '연대'의 순간이 언제였지?를 떠올려보니, 작년이 생각나요. 우리 반 학생의 갑작스러운 도전행동으로 힘들 때 교사 혼자에게 짐을 맡기지 않고, 교육청, 관리자분들, 통합반 선생님까지 힘을 모아 함께 했던 시간들이 생각나요. 그때 가장 힘이 되면서 내가 혼자가 아니구나 하는 걸 느꼈던 부분은 우리 반에서 소리가 쿵쿵쿵 나면 우리 반으로 달려와 주셨던 분들 덕분이었어요. 그리고 다른 것보다 학교의 사정, 학부모의 민원 대응이 아니라 저의 입장을 살펴봐 주었고, 혼자 대응하지 않도록 정말 곁에 서 있어 주었던 모습이 떠올라요. 특히 가장 학생이 도전 행동을 심하게 했던 날은 4명의 선생님이 1시간을 복도에서 학부모님을 기다려주셨던 기억이 있어요. 연대를 생각했을 때 선생님들이 곁에 서 있어 줬던 모습이 떠오르는 걸 보니, 많은 말 하지 않아도 곁에 서 있어 주는 게 연대의 시작이구나 하는 생각이 들어요.

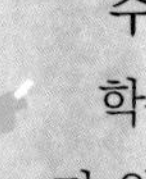

'수용하는 것과 경청하는 것'

학부모, 통합학급 교사, 동료 특수교사 등등 대상은 달라져도 일단 연대하기 위해서는 수용과 경청이 우선시되는 것 같아요. 물론 우리가 이러한 태도를 보이고 먼저 다가가도, 상대가 가시를 내세우며 다가오면 연대가 어렵겠지만 말이에요. 그런데도 수용과 경청의 태도로 그 자리에서 기다리고 있으면 '연대를 위한 서로 다른 생각이 오고 갈 때 교차하는 순간이 생기지 않을까?'라는 생각이 들어요.

'소통의 전문가 되기'

연대라고 하면 왠지 시위? 집회? 그런 것들이 생각나요. 하지만, 근래에 저에게 있어 연대는 '모두를 위한 통합교육'이에요. '모두를 위한 통합교육'을 위한 연대는 통합교사와, 학부모님과, 통합학급 아이들과, 우리 아이들과의 소통과 공감이 필요한 것으로 생각돼요. 소통과 공감을 위해 첫 번째는 공유하는 시간, 두 번째는 공통점을 찾아보는 것이라고 생각해요. 공유하는 시간을 위해 부지런히 다녀요. 연락도 다양한 방법으로 해보고요. 메신저, 하이클래스, 전화, 발품.... 몸은 조금 힘들지만 그래도 조금씩 가까워지는 마음을 느낄 수 있게 돼요. 공통점을 찾아보는 것이지요. 통합학급 교사와 공통점은 교사라는 것, 교사이기 때문에 '나와 함께 하는 아이들이 우리 교실 안에서 배우고 성장했으면 하는 마음'은 같다고 생각해요. 학부모님과의 공통점 역시 아이들의 성장에 있지 않나 생각해 봐요. 물리적 시간과 공통점을 바탕으로 조금씩 거리를 좁혀가다 보면 언젠가 한 사람 옆에 한 사람...처럼 서로의 곁에 서서 연대를 이룰 수 있지 않을까 희망해 봐요.

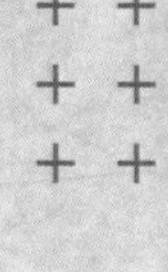

'학생들과의 연대'

연대의 시작점은 나의 소중함을 믿는 한 사람 옆에 한 사람이 서는 것이에요. 나는 우리 반 아이의 소중함을 믿는 한 사람인가?

'장애 학생, 장애인'이라 한 사람을 명하는 순간 '나와 너'가 아닌 '나와 그것'으로 관계하게 된다. [누구를 위해 특수교육은 존재하는가]라는 책에 나오는 글이에요. 많이 공감했어요. 교사로서 정상인 저는 비정상 내지는 열등한 그들을 소홀히 대했기 때문이에요.

저는 지금까지 학생들과의 관계를 '나와 너'의 관계로 생각했을까? 내가 하는 행동 지원이 내 기준에 맞추어 나만 편하고자 했던 행동지원은 아니었을까? 저는 요즘 학생들과 연대하기 위해 학생들을 가만히 바라봐요. 왜 복도에 누워있을까? 교실에 들어가기 싫은 건가? 왜 들어가기 싫을까? 학교 자체가 싫은 건가? 그냥 지금은 그 아이를 사랑하기 위해 질문하고, 노력하는 제 마음가짐이 연대라고 생각해요.

'스며들기'

우리가 맡은 아이에게 더 적합하고, 질 높은 교육을 하기 위해서는 학생과 부모뿐만 아니라 학교에 있는 모든 구성원이 함께 머리를 맞대어야 한다고 생각해요. 시골 학교에서만 근무하다 보니 학교 구성원이 많지 않아 아침, 점심시간에 교무실에 함께 모여 시시콜콜한 일들을 함께하며 많은 이야기들을 나누어요. 모든 학생의 문제에 더 나은 해결 방안과 고민을 함께 나누다 보면 각자의 위치에서 할 수 있는 일들, 도울 수 있는 일들이 생기고, 혼자가 아니라 어디서든 도움을 받을 수 있다는 든든한 믿음이 생겨요. 구성원들 사이에 함께하며 서서히 스며드는 것, 다른 사람의 고민에 귀 기울이고 먼저 손 내미는 것이 작지만 큰 힘이 되는 연대의 방법이 아닐까 생각해요.

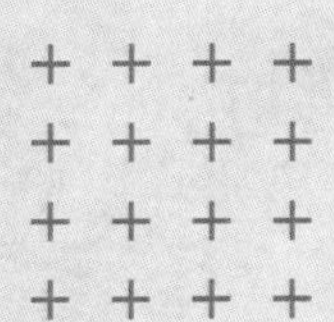

너와 우리, 함께 걸어가는 수업 여정

교육과정 유닛-CU

교실 성장의 기본, 함께 수업을 세우다!

이지원

2024년의 씨유는 8명의 초등 선생님, 6명의 중고등 선생님과 함께 교사 수준 교육과정을 수립하고, 함께 수업을 세워나가고 있습니다. 여러 학년(군) 및 학교급 특수교사가 함께 모였다는 것에 그리고 혼자만의 수업이 아닌 함께 만들어 가는 수업이 실현된다는 데 2024년 씨유가 달려가는 의의가 있다고 할 수 있습니다. 함께 달려가기 위하여 씨유는 크게 다음 세 가지에 집중했습니다. 교육과정을 분석·수립하고, 개별로 도전과제를 설정하고, 이 과정을 함께 공유하자!

하나, 교육과정을 분석·수립하다!

'수업은 기본이다. 수업을 세우는 것이 학교를 세우는 것이다.'라는 기조로 수업 성장과 혁신을 위하여 씨유에서는 교사 수준 교육과정 수립에 집중하고자 합니다. 표준화된 국가 수준 교육과정을 그대로 따르기보다는 각자 학급의 특성과 사정을 고려하여 교사가 교육과정을 재구성하는 것이지요. 학생의 개별화된 요구를 충족하고 그들의 실제 삶에 맞닿을 수 있도록 교육과정을 분석·수립하고자 하였습니다. 이를 위하여 각자 교육과정 성취 기준을 분석하여 재구성하거나 평가 풀을 보며 다양한 교육활동을 구상하며 수업 연구를 하고 있습니다. 이외에도 교육과정이나 수업에 대한 도서를 읽습니다. 이때, 함께 읽는 것에 그치지 않고 실천 중심 독서 문화를 형성하고자 합니다. 함께 책을 읽고 그에 대한 생각을 나누어도 배움이 일어나겠지만 이를 현장에 적용하지 않는다면 그 배움은 이어지지 않을 것입니다. 그래서 함께 읽고 함께 실천할 수 있도록 과제를 설정하여 서로의 과정을 확인하며 배움을 잇고자 합니다.

둘, 수업을 혁신하다!

수업 혁신, 잘하는 수업이란 거창하고 멀리 있는 것이 아닙니다. 나의 수업을 연구하고 성찰하며 이전보다 나은 모습으로 교단에 서는 것이 수업 혁신의 시작 아닐까요? 이에 씨유 구성원들은 거창한 것을 바라고 행하는 것이 아니라 우리가 지금 가장 잘할 수 있고, 가장 충실해야 할 나의 수업 성장에 집중하고자 하였습니다. 기존의 무수한 자료와 정보를 그대로 활용하지 않고, 우리 학급 우리 학생을 떠올리며 '나의 수업'으로 탄생시키기 위하여 교사 수준 교육과정, 즉 교육과정 재구성에 집중하기로 하였습니다. 또한 이 과정에서 개별 수업 도전 과제를 설정하여 수업에 대하여 더 고민하여 한 걸음씩 더 성장할 수 있는 발판을 만들고자 합니다.

셋, 함께 수업을 세우다!

씨유가 함께 하는 가장 큰 이유, 함께 수업을 세우기 위해서입니다. 나 혼자 수업을 이끌어 가는 것만큼 편한 일도 없습니다. 하지만 그만큼 시야도 좁고 발전 가능성이 없겠지요. 씨유에서는 그간 다져온 수업 친구 틀을 지속하기로 하였습니다. 나의 수업을 함께 세우고 다지며 내가 보지 못하는 부분을 수업 친구들의 다양한 시선으로 수업을 세울 것입니다. 여럿이 함께 가며 만들어지는 수업 성장의 길에, 여러분을 초대합니다!

해보지 않은 것을 도전할 용기

박현경

번개 스터디까지 포함하면 올해로 5년이 되는 수업 나눔입니다. 그동안 쌓아온 시간도 있고, 신입생도 없는 올해... 새로운 학생들, 새로운 학교에 적응해야 하는 다른 선생님들보다는 내가 조금 더 여유 있겠다는 생각이 들어 자신 있게 "첫 수업 나눔은 제가 하겠습니다!"하고 손을 들었습니다. 그런데 웬걸. 수업 친구들이 없었다면, 저는 새로운 도전이 담긴 이번 수업을 하지 못했을 것 같다는 생각이 듭니다.

지난 몇 년간 특수학급에서 상대적으로 다양한 주제를 다룰 수 있는 국어 교과의 수업을 주로 연구하고, 수업 나눔을 해왔습니다. 국어 교과로 수업을 할 때는 다양한 학년의 성취기준을 분석하고, 그에 어울리는 주제를 선정하고, 차시를 계획하고, 세부적인 수업을 짜서 운영합니다. 이러한 수업은 교과서 밖의 다양한 주제를 다루니 학생들이 보다 즐겁게 수업에 참여할 수 있고 교사도 수업 구성 능력이 성장할 수 있다는 장점이 있지만, 교사의 노력이 정말 많이 들고, 뚜렷하게 정해진 길이 아니기 때문에 수업 친구의 도움 없이는 확신을 갖기 어렵다는 단점도 있습니다.

그래도 여러 차례 수업 나눔을 한 덕분에 국어 수업은 어느 정도 갈피가 잡히는 느낌인데 수학 수업은 아쉬운 느낌이 많던 찰나, 올해 초등 팀에서 '그동안 해보지 않은 새로운 것'을 해보자는 이야기가 나왔습니다. 수업 친구와 함께하는 수업 나눔의 장점은, 나 혼자 시도하기 망설여졌던 것들을 용기 있게 시도할 수 있다는 것입니다. 그래서 올해 저의 수업 나눔에서의 도전 과제를 [개념 학습 모형을 적용한 도형 수업을 체계적으로 하기]로 정했습니다. 국어 수업에서 정해진 길이 아니라 어려웠던 점은 교과서와 지도서를 깊이 있게 참고하는 것으로 보완하고, 체계성이 부족하다 느낀 것은 개념 학습 모형이라는 수업 모형을 적용해 보는 것으로 도전하게 되었습니다.

도전 과제를 먼저 정하고 수업 친구를 만났을 때 "선생님 반 학생들은 어떤 활동을 가장 좋아하나요?"라는 질문에서 아뿔싸, 가장 중요한 아이들의 특징을 놓치고 있었다는 것을 발견했습니다.

수업 친구의 질문으로 저의 수업에서 아이들이 흥미를 갖고 몰입할 수 있는 활동들로 바꾸는 과정이 있었습니다. 덕분에 아이들은 정말 몸으로 배우며 선분, 반직선, 직선 같은 수학적 개념을 배웠습니다. 수업 친구들과 만날 때마다 제 수업을 꼼꼼히 보신 후 의견을 주셨습니다. 누군가, 나보다 더 나의 수업을 이렇게 자세히도 볼 수 있다는 것이 감동스러웠습니다. 이렇게 수업 친구들의 도움 덕분에 제가 조금 더 용기와 확신을 갖고 수업을 할 수 있었습니다.

수업을 마치고 씨유 선생님들과의 나눔에서 수업 모형 활용의 효과성에 대한 질문이 많았습니다. 학부 때 수업 모형을 배우고, 수업 모형을 익히려고 여러 차례 수업 시연을 했었는데, 그것을 활용하지 않았던 것이 이상하게 여겨질 정도로, 이번에 제가 준비한 수업 주제와 수업 모형이 잘 어우러졌습니다. 덕분에 저도 공부를 더 깊이하고, 한 차시의 수업도 체계적으로 준비할 수 있었던 것 같습니다.

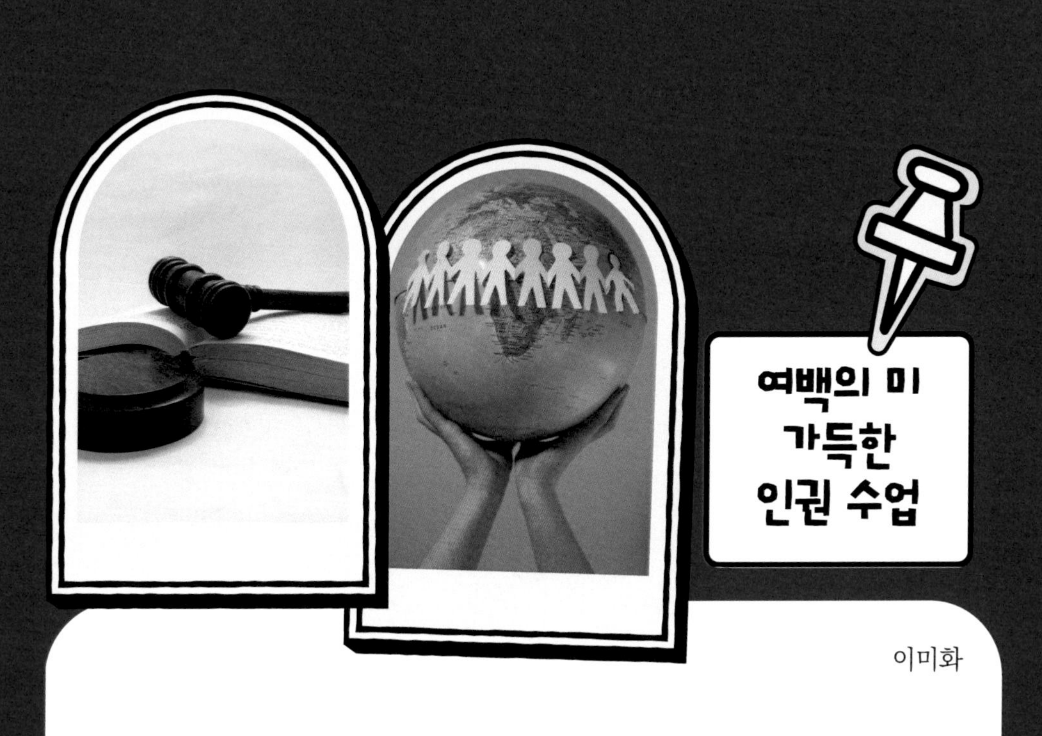

여백의 미 가득한 인권 수업

이미화

고등학교 특수학급에서 4년째 수업하면서 꼭 필요하다고 생각하는 것은 인권 교육이었습니다. 곧 사회라는 큰 바다로 나아갈 고등학교 학생들이 자유로운 삶을 살아갈 수 있길 바랐기 때문입니다. 먹고 싶은 음식을 먹고, 보고 싶은 영화를 보고, 입고 싶은 옷을 직접 선택할 수 있는 삶. 저의 삶도 그런 모습이길 바라기에 교사 개인의 가치관이 반영된 결과입니다. 하지만 '인권'을 주제로 수업을 설계하기엔 아직 역량이 부족하다는 생각을 늘 했습니다. 공통교육과정의 내용은 너무 어렵고 기본교육과정의 내용만으로는 뭔가 부족하다는 느낌이 들었기에 교육과정 재구성을 해야만 했지만, 내용은 너무 방대하고 어떤 위계로 수업을 설계해야 할지 줄기를 잡기가 쉽지 않았습니다. 결국 나부터 인권에 대한 공부를 해야만 했고, 학교급을 가리지 않고 인권을 주제로 한 수업사례를 찾아서 우리 반만의 수업을 고민하고 계획했습니다.

인권의 인식과 이해, 적용, 이렇게 3단계로 구분하여 '인식' 단계에서는 나와 다른 사람의 존재에 대해 인식하고 인권의 의미에 대해서 알아보고 '이해' 단계에서는 인권에는 구체적으로 어떤 내용들이 있는지 살펴보았습니다. '적용' 단계에서는 인권이 나의 삶과 어떻게 연결되어 있는지 알아보고 자신이 가진 권리의 실태를 파악해 볼 수 있도록 수업을 계획했습니다.

‘인권’이나 ‘존중’, ‘배려’와 같은 것들은 눈에 보이지 않는 추상적인 개념이기에 명시적으로 알려주더라도 이해나 적용이 어려웠습니다. 그래서 학생들의 눈높이에 맞는 학습 자료나 사례를 제시하는 것이 매우 중요하다는 생각이 들었습니다. 인권에 대해 최대한 쉽게 풀어 쓴 그림책을 선정하여 깊이 들여다보고, 인간 삶의 가장 기본인 의식주와 관련된 인권침해 사례를 제시하였습니다. 인권은 생각보다 우리 가까이에 있으며 내가 원하는 것을 표현하고 정당하게 누릴 수 있는 삶을 사는 것이 무엇보다 중요하다는 것을 재차 강조하며 그 필요성을 느낄 수 있도록 안내하였습니다.

‘인권’이라는 단어를 들어는 봤으나 알지 못했고, 수업 속에서 내내 이야기하고 있지만 여전히 어렵습니다. 그래서 스스로 생각해볼 시간이 많이 필요했습니다. 교사가 무작정 알려주는 인권보다는 자신이 원하는 것에 대해 곰곰이 생각해 보고 다른 친구들과 공유하며 조금씩 알아갈 수 있도록 수업 속에 많은 여백을 두었습니다. 그냥 보면 엉성해 보이기도 하고, 배움이 일어나고 있는지조차 확신할 수 없습니다. 학생들도 난감해 하는 모습이 눈에 보이고 인지 수준이 또래보다 낮은 아이들은 지루하기만 합니다. 하지만 계속해서 자신에게 반드시 필요한 것과 원하는 것, 좋아하는 것들을 떠올리게 하고 함께 이야기 나누며 다른 사람은 나와 다른 생각을 갖고 있다는 것을 조금씩 알아가고 있습니다. 다른 친구들과 의견을 공유할 때는 어떤 문장으로 대화를 건네야 할지조차 알지 못했던 아이들이 조금씩 대화를 주고받기 시작했고 그 많던 여백이 아이들의 이야기로 채워지고 있는 중입니다.

얘들아, 선생님도 수업 친구 있어!

이다요솔

안녕하세요? 저는 작년부터 CU와 함께한 CU 2년차 이다요솔입니다. 국가 교육과정과 다양한 교육 관련 연구를 바탕으로 아이들을 잘 가르치고 싶어서 교육과정 유닛에 들어왔습니다. 기존에 계신 선생님들께서는 이미 다양한 책들을 기반으로 많은 이야기를 나누셨기 때문에 작년 1년은 저도 그 책들을 함께 읽으며 이론을 공부하는 시간을 가졌습니다. 지루하게 느껴질 법했던 그 시간도 다른 선생님들의 깊은 고민과 성찰을 들으며 제게 유의미한 시간이 되었습니다. 잘 가르치고 싶어서 시작한 교육과정에 대한 이론 공부가 '나'를 알게 해주었고, '내가 가르치고 싶은 것'을 발견하게 해주었습니다. 이렇게 작년은 수업에 대한 뿌리를 정립하는 시기였습니다.

드디어 올해는 실전 팀과 함께하고 있습니다. 공부한 것들을 펼치며, 좋은 선생님들과 수업을 나눌 수 있다는 것이 기대됐습니다. 작년, 실전 팀을 바라보며 제가 가장 부러웠던 것은 '수업 친구'가 있다는 것입니다. 교육과정을 함께 계획하고, 수정하고, 펼쳐내며 의미 있는 배움의 지점을 함께 찾아가는 선생님들의 모습이 부러웠습니다. 마치 우리 반 아이가 성장한 것처럼 울고, 웃는 모습들이 참 예뻐 보였습니다. 무엇보다도 외롭지 않아 보였습니다.

4월, 저는 누군가의 수업 친구가 되었습니다. 학생들을 누구보다도 사랑하는 선생님의 수업 친구가 될 수 있음에 감사했습니다. 수업 친구의 역할은 수업자와 함께 수업을 계획하고, 더 나은 가르침을 위한 아이디어를 나누고, 수업 영상을 통해 아이들의 유의미한 배움을 발견하고, 무엇보다도 최선을 다해 수업하시는 수업자를 온 마음 다해 응원하며 '함께'하는 것입니다.

수업자 선생님께서는 도형 단원의 수업을 준비하셨습니다. 탄탄한 수업 계획 위에 저를 포함한 두 명의 수업 친구가 의견을 덧붙이고, 수정 단계를 거쳐 수업을 진행했습니다. 선생님의 수업을 살펴보며 재미있었던 부분은 제가 말로 제시한 것들이 실제로 구현되는 것이었습니다. 제 작은 의견이 멋진 선생님을 만나 학생들에게 닿는 기쁨을 누릴 수 있었답니다. 수업을 함께 고민하기에 다양한 관점을 나눌 수 있고, 내가 발견하지 못한 부분들을 보게 되고, 의미 있는 배움에 대해 나눌 수 있었습니다.
멋진 수업을 공개해 주신 수업자에 대한 자랑을 남기고 싶습니다. 제가 만난 수업 선생님은 용기가 충만한 선생님입니다. 공부한 것들을 실천하려고 노력하시고, 수업 친구의 작은 의견도 소중하게 생각하십니다. 이런 선생님 덕분에 배운 것을 실천하는 멋진 태도를 배웠습니다.

2학기에는 제게도 수업 친구가 생깁니다. 함께 고민하며 자신감을 찾을 수 있을 것 같아 기대가 됩니다. 학생들에게 '함께'의 가치를 가르치기 이전에 내가 먼저 선생님들과 '함께'할 수 있어서 아이들 앞에서 당당할 수 있을 것 같습니다. CU의 모든 수업 친구들 최고입니다!

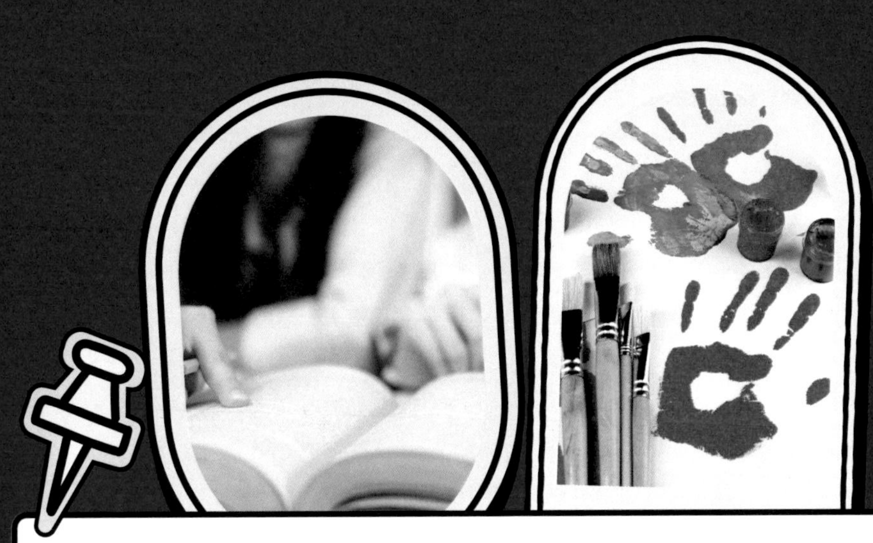

수업 친구 소감(초등)_ 함께 성장하는 우리들

김진경

따뜻한 봄바람이 불어오던 4월.

서울, 강원도, 전남 각자의 자리에서 컴퓨터 화면을 통해 세 명의 교사가 만났습니다. 바쁘게 하루를 보내다가 미리 맞춰둔 알람이 울리면 부랴부랴 친구들을 만나러 뛰어갔습니다. 수업자 선생님이 올려주신 계획과 영상을 보고, 셋이 함께 수업과 학생들에 대해 이야기를 나눌 때면 정말 한 공간에 모여 있는 듯한 기분이 들었습니다.

수업자 선생님은 올해도 새로운 도전을 하였습니다. 수학의 도형 단원 수업을 계획해 개념학습모형을 적용하였습니다. 사실 수학 수업에 대해 깊이 있게 이야기 나눈 적이 없다 보니 처음에는 수업 친구로서 어떤 말을 나눠야 할지 고민되고 어렵다는 생각이 들었습니다.

고민되던 생각은 선생님이 올려주신 수업 영상을 보자마자 사라졌습니다. 작년에 보았던 학생들을 다시 만나니 너무 반갑고, 작년의 모습을 떠올리며 학생들의 성장에 놀라기도 했습니다. '키가 많이 컸구나! 작년보다 더 집중하며 수업에 열심히 참여하는구나! 여전히 귀엽네.' 등의 반응을 하며 선생님의 수업에 흠뻑 빠져 보았습니다.

작년과 달라져 있는 학생들과 선생님의 수업 속 장면들을 보며 도움을 주는 수업 친구가 되지는 못하더라도 곁에서 성장을 지켜보며 힘차게 응원하는 수업 친구가 되자! 라는 생각이 들었습니다. 누군가의 성장을 지켜보는 것이 이렇게 뿌듯한 일이구나. 그리고 서로 용기 내 수업을 공개하고, 공유하는 우리가 참 멋져 보였습니다.

함께 수업 친구가 된 선생님을 통해서도 많은 걸 느끼고 배울 수 있었습니다. 수업자 선생님의 입장에서 깊이 고민하고 질문하는 모습. 수업을 정말 꼼꼼하게 보고 학생의 작은 변화도 놓치지 않고 바라보는 시선에서 수업을 바라보는 관점에 대해 배울 수 있었습니다.

그리고 수업 친구들의 이야기를 바로 흡수해 수업에 적용하는 수업자 선생님의 수업을 보며 '우리가 이야기 나눴던 내용이 저렇게 수업에 반영되었구나!'하며 더욱 흥미롭게 선생님의 수업을 바라볼 수 있었습니다.

각자의 교실에서 얼굴을 보고 함께 수업에 대해 이야기하고, 학생들의 작은 손짓과 말 하나에 의미를 발견하며 서로 힘을 얻어갔습니다. 그리고 무엇보다 서로에게 큰 동기부여가 되어 수업에 대해 새로운 도전을 해봐야겠다는 생각을 갖게 했습니다.

서로에게 더 주지 못해 미안해하고 고마워하며 서로를 토닥이던 4월. 옆 교실 동료가 되어 주셔서 감사합니다. 다음 수업 친구와는 어떤 수업에 대해 함께 이야기 나눌지 기대됩니다.

수업 친구가 있다는 건,

이다정

수업 친구가 있다는 건 어떤 기분일지 궁금했습니다.

2023년 CU에 들어와 선생님들께서 수업 공개를 스스럼없이 하시고, 수업에 대한 깊이 있는 이야기를 나누는 모습을 보면서 수업 나눔에 대한 고정관념이 무너져 내렸습니다. 그러면서도 동시에 나도 선생님들처럼 수업을 공개하고 나눌 수 있을까? 하는 걱정도 되었습니다. 제게 수업 나눔이란 수업자에 대한 평가라고 여겨졌던 경험이 있어서 수업을 공개한다는 것이 굉장히 부담되었고 가능하다면 그런 상황을 피하려고 했기 때문입니다. 그래서인지 CU에 들어와 선생님들의 수업 나눔을 참관했던 그날의 경험이 제 생각을 많이 바꾸었고, CU와 같이 안전한 공간이라면 올해는 나도 수업을 공개할 수 있지 않을까 하는 용기가 생겼습니다.

그리고 4월, 드디어 수업 친구가 되었습니다. 4월에 함께할 수업쌤이 작년에 공동체에 들어와 이론 공부터 함께 시작한 선생님이어서 더욱 감회가 새로웠습니다. 그래서 더욱 수업 친구로 역할을 잘하고 싶다는 생각이 들었습니다. 수업 친구는 수업쌤과 함께 수업과정을 살펴보며 생각을 나누고, 고민되는 지점을 함께 풀어갑니다. 또한 수업쌤이 발견하지 못한 아이들의 배움을 발견하는 든든한 수업 동반자입니다.

4월에 함께한 수업쌤은 인권을 주제로 교육과정을 재구성하여 인식, 이해, 적용의 3단계로 차시를 구성하였습니다. 막상 수업 친구가 된다고 하니 걱정이 또 앞섰습니다. 수업쌤께 도움이 되어야 할 텐데 하는 마음이 가득한 채로 수업에 대한 첫 나눔을 시작했던 것 같습니다. 걱정과 달리 수업쌤이 고민되는 지점들에서 다 함께 멈추고 생각해보며 수업을 위한 마음이 가득했던 이타적인 시간이었습니다. 더불어 수업쌤과 함께 나누었던 이야기들이 다가올 수업 속에서 아이들에게 어떻게 와 닿았을지 기대가 되었습니다. 이처럼 수업 친구의 좋은 점은 수업을 차근 차근 따라가면서 수업쌤과 발걸음을 맞춰 걸어갈 수 있다는 것입니다. 함께 나누었던 이야기가 수업 속에서 아이들에게 의미 있게 다가왔을 때 느꼈던 행복을 떠올리면 지금도 즐겁습니다.

수업 친구가 있다는 건 등 뒤를 내리쬐는 햇살 같다는 생각이 듭니다. 수업 친구를 하게되면 수업쌤이 수업에서 미처 인식하지 못한 반짝이는 순간들을 대신 발견하게 됩니다. 가령 다른 아이들을 지도하는 동안 AAC를 사용하는 학생을 도와주는 다른 학생의 따뜻한 마음을 통해 선생님이 학급에서 중요하게 생각하는 가치를 알게 된다거나, 모둠 활동에서 학생들이 이전에 배운 내용을 활용해 문제를 해결하려고 노력하는 순간들을 발견하게 됩니다. 수업 친구는 반짝이는 그 순간들을 놓치지 않고, 수업쌤께 자랑하고 싶어집니다. 선생님의 수업이 아이들에게 얼마나 의미 있는 배움이었는지를, 수업에 대한 고민이 얼마나 값진 시간이었는지를요. 이러한 놀라운 경험을 하게 되어 너무 기쁘고 CU라는 공동체에 함께하게 되어 행복합니다.

수업 친구 소감(고등)_ 기대감과 부담감이 희망과 신뢰로

김민지

수업 친구라는 역할을 부여받았을 때, 나는 기대감과 부담감을 동시에 느꼈다. 다른 사람의 수업을 볼 수 있다는 것 외에도 고민하는 과정을 함께 할 수 있다는 특별함 때문이었다. 특수교사는 학교에서 소수 교과이기 때문에 학교 안에서 동교과 교사를 만나기 쉽지 않다. 또, 타 교과의 공개수업이나 동료 교사의 수업을 보기는 하지만, 수업의 내용과 자료의 선정 이유, 교사의 의도 등 숨겨진 교사의 노력을 속속히 알기 어렵다. 그런데 수업 과정에서 함께 고민하고 논의하고 나눌 수 있는 '수업 친구'라니! 나에게는 참 매력적으로 다가왔다. 반면에 피드백을 드려서 수업의 완성도를 높이는 데 일조해야 한다는 생각에 무거운 마음으로 참여했다.

수업하실 선생님이 준비하신 수업 계획과 자료, 수업 속에 녹아있는 의도를 찬찬히 들여다보았다. 단순히 한 차시의 수업만 나누는 것이 아니기 때문에 수업 친구로서 참여한 회의는 수업자의 의도와 고민을 계속 반복해서 나누는 과정이었다. '인권'이라는 주제가 학생들에게 어떻게 다가갈지, 추상적인 개념을 어떻게 '나'에게 연결할 것인지, 어려운 단어로 점철된 개념을 어떻게 학생 수준에 맞게 제시할 것인지, 다른 수준의 학생들에게 제시하는 자료는 어떻게 달라져야 하는지, 학생들 모두에게 배움이 일어나도록 하는 발문은 무엇인지 등 꽤 여러 번의 회의를 거쳤다.

수업자는 수업 친구의 생각을 자신의 방식으로 수업에 녹였다. 한 차시 한 차시 수업이 지나가면서 회의한 수업이 어떤 방식으로 재구성되는지 수업 친구를 하면서 바로 옆에서 볼 수 있었다.

수업 친구로서의 역할을 마치고 난 뒤, 내가 느꼈던 기대감과 부담감이 서서히 사라졌다. 기대감은 희망이 되었다. 내 수업이 다른 각도로 비치기 때문에 내가 발견하지 못한 수업과 학생의 장점을 알게 되고, 수업 주제에 대한 다양한 노하우를 배울 수 있다는 점 때문이다. 그리고 부담감은 내 경험에서 비롯된 피드백을 수업자가 자신만의 방식으로 소화시킬 것이라는 신뢰로 바뀌었다. 수업 친구라는 경험에서 얻은 희망과 신뢰는 내 수업의 변화로 이어질 것이다.

긍정적행동지원 유닛

피클과 함께하는 긍정적행동지원 책 읽기

올해 피클은 긍정적 행동지원 이론서를 함께 읽고 질문을 나누는 것으로 공부를 시작했다. 작년 한 해동안 실천에 무게를 둔 우리였지만 올 해에는 다시 한번 이론서를 조금 더 천천히 공부하기로 하였다. 빠르게 나아가는 것보다 조금 느리더라도 올바른 방향으로 나아가고 싶었기 때문이다. 그리고 지금까지 실천한 것들이 최선인지 더 적절하고 효과적인 방법은 없는지 궁금했다. 우리가 가르치는 아이들의 학교에서의 시간은 유한한 것임을 알고 있기 때문이다. 결론부터 말하면 우리의 선택은 탁월했다. 이론을 읽고 함께 질문과 답을 나누는 과정을 통해 우리가 지금까지 실천해 온 것들을 다시 한번 생각해볼 수 있었고 더 나은 방향을 고민하는 시간이 되었다.

우리와 같은 마음을 가진 선생님들을 위해 피클이 지금까지 긍정적 행동지원을 공부하며 함께 읽었던 여러 책들을 소개한다.

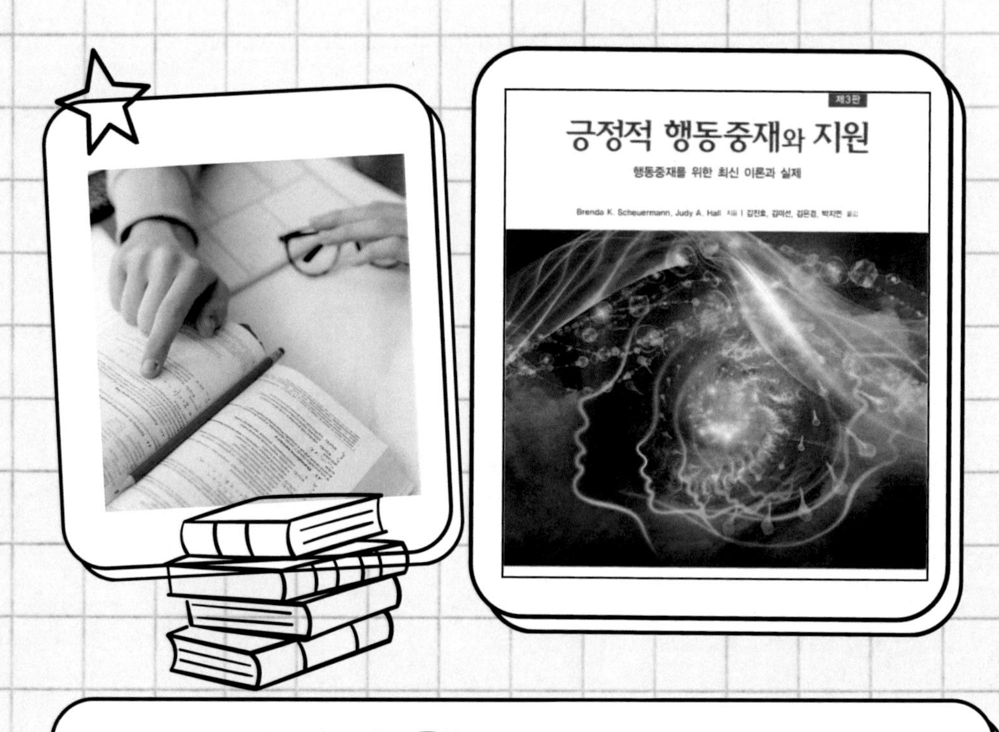

긍정적 행동중재와 지원: 행동중재를 위한 최신 이론과 실제

오주영

긍정적 행동지원은 무엇일까? 어디서부터 어떻게 시작 해야 할까? 에 대한 답을 찾고 싶으면 이 책을 찬찬히 읽어보는 것을 추천한다. '지피지기면 백전백승이다.'라는 말이 있다. 긍정적 행동지원을 실행하기 위해서는 긍정적 행동지원이 무엇인지 알고, 긍정적 행동지원을 실행하는 단계와 방법을 아는 것이 중요하다.

이 책은 1부~4부에 걸쳐 긍정적 행동지원의 이론적인 부분과 함께 구체적인 예시가 제시된다. 1부에서는 긍정적 행동지원의 이론적 배경에 대해 설명해 준다. 긍정적 행동지원이 무엇인지, 왜 필요한지 이론적 모델은 무엇인지 큰 틀에 대해 알게 되면 2부에서는 보편적 중재에 대한 내용을 설명한다.

학교차원에서 실행할 수 있는 일, 규칙, 일과, 구조화, 효과적 교수 등을 통한 문제행동을 예방할 수 있는 방법은 무엇이 있는지 사례들이 함께 제시되고 이를 바탕으로 우리 학급 및 학교 차원에서 실행할 수 있는 방법을 생각해 볼 수 있게 된다. 보편적 중재에 대해 알게된 후, 3부에서는 행동을 평가하고 모니터링하는 방법이 나온다. 학생들이 보이는 문제행동을 측정하고 모니터링을 하는 것이 왜 중요한지에 대해 그 중요성과 기록법을 앎으로써 현장에서 적용할 수 있는 방법에 대해 고민할 수 있다. 4부에서는 긍정적 행동지원의 다른 단계들인 표적집단 중재, 개별적 중재에 대한 내용이 나온다. 이러한 중재를 실행할 때 참고할만한 서적, 양식들이 함께 제시되어 추가적인 자료를 찾을 때 도움이 된다.

이 책은 제목처럼 행동중재를 위한 최신 이론과 실제에 대한 내용이다. 그러나, 우리나라를 배경으로 출판된 서적이 아닌, 미국에서 출판된 번역본이기 때문에 한국과의 환경이 달라 이해가 잘 되지 않는 부분이 생길 수도 있다. 그럴 땐 뒤에 제시될 긍정적 행동지원과 관련된 다른 이론서들을 통해 정보를 얻음으로써 긍정적 행동지원을 두려워하지 말고 각자의 교실에서 도전할 수 있길 바란다!

"교육자들이 긍정적 행동중재와 지원을 이해하고 학교에서 어떻게 적용하는지를 알게 된다면, 모든 학생들에 대하여 행동중재를 더욱 효과적이고 효율적으로 할 수 있을 것이다."

(도전행동을 보이는 장애학생과 일반학생을 위한)
학교에서의 예방-교수-강화 모델

신현경

우리에게 긍정적 행동지원은 이제는 참 익숙한 용어이다. 우리는 이미 이 용어가 가진 중요성을 알고 있으며, 적용을 위해 노력하고 있기도 하다. 그럼에도 긍정적 행동지원이라는 용어가 부담스럽게 느껴지는 이유가 무엇일까? 현장의 많은 선생님들의 입에서 서류와 기록이라는 말이 제일 먼저 나오지 않을까 조심스럽게 예상해 본다.

기록을 통해 학생의 도전 행동 분포와 기능, 중재에 따른 변화를 명확히 할 수 있게 되지만, 또 한편으로는, 한 반에는 여러 명의 아이들이 있고, 다양한 특성의 아이들을 고루 신경 써야 하며 여러 업무를 동시에 처리해야 하는, 여러 역할 기대들로 허덕이는 현장의 교사로서 긍정적 행동지원 과정에서 실행을 요청 받아온 평가, 기록지들은 종종 부담스러운 게 사실이다. 이런 점들 때문에 실제 시작하기 쉽지 않다는 이야기와, 어떤 때에는 추가적인 업무 중 하나처럼 느껴지기도 한다는 이야기를 종종 듣게 된다.

이 책은 이러한 어려움을 겪었거나, 두려워 주저하고 있는 선생님들을 위해, 조금 더 간단한 방법으로 개별 지원을 시작하고 싶은 선생님을 도와줄 수 있는 부분이 가득 담겨있다고 말할 수 있다. 근본적으로 예방-교수-강화모델은 긍정적 행동지원, 응용행동분석과 이론적 근거와 실행에 있어서의 차이가 없으며, 단지 그 절차에 있어서 간소화, 표준화하여 현장에서의 실행을 조금 더 쉽게 시작할 수 있도록 돕는다.

체크리스트화 되어 있는 예방, 교수, 강화 영역의 체크리스트를 보고 있자면, 본래는 3차적, 개별적인 지원이 필요한 학생을 위하여 개발되었지만, 동시에 나 자신을 돌아보게 된다. 나는 예방에, 교수에, 강화에 얼마나 신경을 쓰고 있는가?

이 책의 또 하나의 꿀팁 of 꿀팁은 부록에 있다. 우리가 어떤 도전 행동을 만났을 때, 예방과 교체를 위해서- 다양한 중재를 생각해 내느랴 머리를 싸맨다. 이 책에서는 현장에서 쉽게, 그러나 중요하게 사용할 수 있는 중재 전략 뿐 아니라 전략에 대한 설명과 예시, 실행 단계들이 비교적 자세히 실려있다. 비단 도전행동을 위해서가 아니라 학생이 일상에서 익혀야 하는 자기 관리 전략, 사회성 기술 교수 전략, 학습 전략 등에 대한 정보도 얻을 수 있다. 내가 알고 있다고 생각한 중재, 교수 전략도 막상 적용을 '어떻게' 해야 하는 지에서 막혀본 적이 있다면, 이 책을 천천히, 꼼꼼히 읽어보길 추천한다. 실행 단계, 유의점, 다양한 예시들은 선생님의 예방, 교수, 강화전략을 풍부하게 할 것이다!

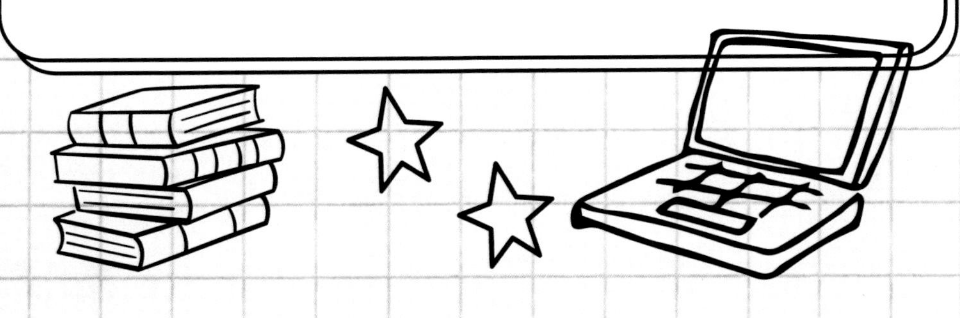

학급긍정훈육법 (친절하며 단호한 교사의 비법)

최효언

아이들을 '잘' 가르치고 싶은 우리에게.

어떤 교사가 되어야 하는지, 어떤 교실을 만들어 가야 하는지 고민이 들 때 추천하고 싶은 책이다. 학급 운영을 하며 어려움을 겪고 있는 선생님들에게 실마리가 될 것 같다. 우리는 2023년 피클 첫 스터디에서 이 책을 함께 읽었다.

피클에 신규 멤버로 들어와 선생님들과 함께 읽게 된 책이라 더욱 기억에 남는다. 우리의 교실을 떠올리며 나는 어떤 교사였는지, 지난 학기 어떤 부분을 잘했고 보완해야 하는지 이야기를 나누며 새 학기를 준비하는 시간을 가졌다.

이 책은 총 12장으로 구성이 되어있고 크게 교사, 아이들, 문제해결 기술에 대해 다룬다. 교사가 무엇을 가르쳐야 하는지, 나는 어떤 교사인지에 대해 고민했는지 묻는다. 곰곰이 생각해보니 가장 기본적인 질문이고 가장 먼저 고민했어야 하는 부분인데 우리 학급에 대한 고민 중 '교사인 나'에 대한 고민이 빠졌다는 생각이 들었다.

아이들의 문제행동 사례를 구체적으로 이야기하고, 근본적으로 아이들이 '왜' 문제를 일으키는지, 왜 바뀌기 어려운지 묻는다. 그 속에 숨겨진 메시지를 파악하여 사례별로 활용할 수 있는 긍정훈육법과 다양한 문제해결 기술을 다룬다. 긍정적 행동지원에 관한 기술을 교실 내에서 적용할 수 있도록 구체적으로 안내하고 교사의 발문을 제시하여 현장에서 활용하기 좋은 책이다.

"교사 혼자 문제해결의 짐을 짊어지는 것이 아니라 아이들과 함께 해결방법을 찾아감으로써 교사와 학생 모두 성장할 수 있게 된다."

흔들리지 않는 학급 운영의 비밀 (학급긍정훈육으로 운영하는 멍멍샘의 교실)

전혜지

처음 교직에 들어섰을 때 '이런 학급을 만들고 나는 이런 특수교사가 될 것이다!'라는 다짐과 포부로 학생들을 만났다. 창대한 다짐과 포부는 하루하루 학생들과의 관계, 학생과 학생과의 관계, 도전 행동 등의 여러 상황을 마주하며 흔들리기 시작했다. 교사로서의 태도와 감정이 흔들리기 시작하면서 열정만으로는 매일 소진되는 에너지를 채울 수 없었다. 그래서 다시 교사와 학생이 평온하고 행복한 교실, 리듬이 있는 교실을 만들기 위해 어떻게 해야 할지 고민을 했던 적이 있었다.

이 책은 그 고민에 대한 위로와 격려가 되어준다. 화려하거나 새로운 기술을 적용한다기보다는 그러한 기술들이나 막연하게 이미 우리가 하는 것들이 제자리에서 역할을 할 수 있도록 더 효과적이고 효율적인 정리, 정돈 방법을 알려주는 책이다.

학급 운영에 너무 무기력하거나 너무 감정적이거나, 해야 할 것들은 알지만 방법들이 머릿속에서 막연하게 떠다니던 것들이 있다면, 부담 없이 이 책을 접하길 바란다. 이 책은 교사의 태도, 우리 교실만의 일과 정립, 서로를 존중하는 방법, 학부모 상담, 학급긍정훈육법으로 학급을 세우는 방법 등 관련된 다양한 사례들을 소개하고 있다.

교사가 행복해야 학생도 행복하고, 학생이 행복해야 교사도 행복하다. 교사와 학생 모두가 안정적인 교실에서 행복한 학교생활을 위해서는 서로가 존중하며 흔들리지 않는 나만의 교육관, 나만의 학급 운영 방법을 세울 필요가 있다. **이 책을 통해 지금 우리 교실을 점검해보면 어떨까?**

학교에서 긍정적 행동 지원 시스템 구축하기 : 기능적 행동평가

조현영

최근 학교 현장에서는 학생들의 도전 및 문제행동을 어떻게 지도할 것인가에 관한 관심이 증가하고 있다. 그렇다면 학교 현장에서 개별 행동 지원을 그리고 긍정적 행동 지원을 성공적이고 효율적으로 적용하기 위해서는 어떻게 할 수 있을까?

이러한 물음에 이 책은 학교, 일반교사, 특수교사, 학부모 등 다양한 구성원의 긍정적 행동 지원에 초점을 맞추고 있다. 도전 및 문제행동을 보이는 학생이 있는 학교에서 긍정적 행동 지원을 체계적이고 실천적으로 실행하는 방법과 여러 행동 문제에 대한 기능적 접근법을 제공하고 있다. 이 책에서는 학교가 오직 특수교사 한 개인에게 의존하는 것 대신 행동지원팀을 구성하여 학생들을 지도하는 것이 성공적으로 행동 문제를 감소시킬 수 있다는 것을 강조하며 기능적 행동평가를 기반으로 한 행동 지원계획에 대한 체계적 절차와 다양한 예시를 통하여 구성원이 함께하는 긍정적 행동지원을 보여준다.

우리는 이 책을 읽고 서로의 생각을 나눈 결과 긍정적 행동지원을 실천하기 위해서는 학생을 둘러싼 구성원의 협력과 지속적인 관찰 및 평가가 중요하다는 사실을 깨달았다. 그리고 구성원 모두가 함께 소통할 수 있도록 관찰 가능하고 객관적인 용어를 사용하여 자료를 수입하는 것에 대한 중요성을 확인하였다. 그와 더불어 현장에서 가장 유용한 긍정적 행동 지원은 학기 초 루틴을 만드는 것과 학생 개별 특성을 고려하여 예방적 차원에서 학급 운영을 체계화하는 것이라는 것을 다시 한번 깨닫는 시간이 되었다.

표적집단을 위한 긍정적 행동지원 (문제행동의 조기 예방과 대응을 위한 표적집단 중재)

한경화

긍정적 행동지원에서 2차적 중재 대상이 되는 표적집단은 '관심군' 즉 학교나 학급에서 보편적인 중재로는 행동이 개선되지 않는 전교생의 10~15% 정도의 학생들을 가리킨다. 그리고 표적집단 중재는 이러한 관심군 학생들에게 즉각적이고 효과적인 예방과 대응을 통하여 문제가 심각해지는 것을 예방하고 조기에 대처하는 것이다. 긍정적 행동지원에서 2차적 중재인 표적 집단 중재는 1차적 중재인 보편적 중재와 3차적 중재인 개별중재 사이에서 어쩌면 감히 가장 중요한 중재가 아닌가 생각한다.

2차적 중재에서의 적은 노력을 통하여 많은 수고를 기울여야 하는 3차적 중재로 가지 않도록 막을 수 있기 때문이다.

긍정적 행동중지원를 공부하며 표적 집단과 특수학급이 닮아 있다는 생각을 많이 했다. 아무래도 보편적인 지원으로는 어려움이 발생하여 특수학급으로 온 학생들이기도 하지만 특수학급에서의 중재를 통해 앞으로의 어려움을 막을 수 있는 학생이기도 하기 때문이다. 그래서 늘 표적 집단 중재에 대해 궁금했고 잘하고 싶었다. 그런 나의 궁금증을 박박 긁어준 책! 바로 이 책이다.

교실 환경 조성하기, 행동 관리, 학업 전략, 행동 지도방법, 교수전략, 개별학생에게 적용할 수 있는 일반적 전략, 상황에 따른 중재 방법까지 표적 집단 학생들을 지도하는 데 필요한 구체적이고 실용적인 다양한 방법들이 제시되어 있다.

특히 특수학급 아이들이 겪을 만한 어려움과 중재 과정에 대한 구체적인 예시가 나와 있어 어떻게 중재할 것인지 함께 고민해 볼 수 있는 시간을 가질 수 있었다. 또한, 표적 집단을 위한 서식이 들어있어 여러 가지 방법들을 실제로 적용해 보는 데 도움이 될 것이다.

이 책에서 가장 재미있었고 인상적이었던 부분인 **'부모가 자녀에게 사용할 수 있는 무료 또는 저비용의 보상'** 내용 중 일부를 아래에 붙이며 소개를 마무리한다. 부모를 교사로 바꾸어 상황에 맞게 활용하면 좋을 것 같다.

부모가 자녀에게 사용할 수 있는 무료 또는 저비용의 보상

- 식사 메뉴를 아동이 선택하게 한다.
- 가족이 함께할 활동을 고른다.
- 등하교 시 버스 대신 부모가 차를 태워준다.
- 밤에 5분 늦게 자거나 아침에 5분 늦게 일어날 특권을 준다.
- 자녀와 단둘이 특별한 시간을 보낸다. (쇼핑, 도서관, 저녁 식사, 공연 보기 등)
- 주말에 자녀 중 1명만 빼고 모두 할머니 댁으로 보낸다.
- 가족들 몰래 아동과 함께 요리하고 저녁 식사 때 가족들을 놀라게 한다.
- 비밀의 복주머니를 활용한다. (여러 보상을 적어놓고 복주머니에서 보상을 뽑게 한다.)
- 자녀에게 보내는 긍정 메시지를 곳곳에 숨기거나 적어 놓는다.
- 자녀가 좋아할 만한 곳에 데려간다.
- 자녀를 사랑하는 이유 20가지를 적어 준다. 웃기고 재미있는 사진도 곁들인다.
- 좋아하는 음악을 모아 CD나 파일을 만들어 준다.

개별학생을 위한 긍정적 행동지원 (심각한 문제행동을 보이는 학생을 위한 개별 중재)

김윤정

이 책은 3차 수준의 긍정적 행동지원을 체계적으로 적용하는 데 초점을 둔다. 학생들이 문제행동을 하게 만드는 선행사건을 파악하여 이를 예방하고, 학생이 필요로 하는 기술을 평소에 가르쳐 두어 기술 부족으로 인해 문제행동에 의존해야 하는 상황을 제거하며, 이미 발생한 문제행동에 대한 주변인들의 반응을 바꾸어 문제행동 재발 가능성을 낮추는 방법을 다루고 있다.

또한, 이 책은 '이론은 알겠는데, 그래서 현장에서 어떻게 적용하는데?'에 대한 실마리를 주는 책이다. 기능평가 방법, 자료 수집 방법, 행동의 관찰과 기록, 위기계획, 자료 분석, 행동 중재 계획, 선행사건 조정, 행동 교수, 후속 결과 수정에 관한 이론들과 더불어 풍부한 예시, 교실 상황에서 활용할 수 있는 구체적인 팁을 제시하기 때문이다.

학생들의 심한 문제행동을 마주할 때, 그리고 여러 중재를 시도해보았음에도 행동이 바뀌지 않을 때 우리는 무력감을 느끼기 쉽다. 문제행동을 지속하였다는 것은 그동안 학생이 문제행동을 통해 원하는 것을 얻어왔다는 의미다.

따라서 우리가 그 이면에 있는 기능을 알 수 있다면 교체 행동이 그 행동을 대신에 하게 할 수 있다. 그 과정은 물론 중재를 적용한다고 해서 한 번에 바뀌지는 않을 것이다. 하지만 기억하자! 행동은 학습되는 것이다. 문제행동이 학습되었다면, 바람직한 행동도 학습될 수 있다.

책을 읽으면서 가장 기억에 남았던 문장은 **"바라는 행동이 나타나기 원한다면 우리는 그 행동을 가르치고, 기억하게 하고, 연습시키고, 칭찬해야 한다."**이다. 반성이 되었던 지점이다.

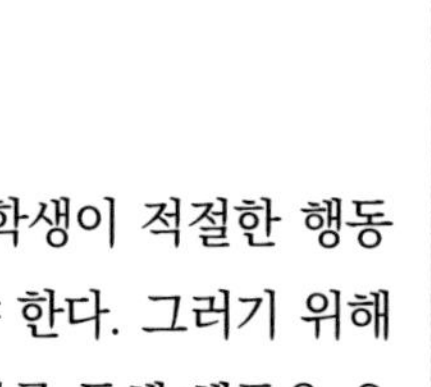

나는 학생에게 명확한 기대 행동을 가르치고

기억하게 하고(시각적 지원)

연습시키고(연습 기회 제공)

칭찬(강화, 적절한 보상)하였는가?

학생을 지도하면서 이 문장을 항상 기억해야겠다고 다짐했다. 학생이 적절한 행동을 하기 원한다면 그 행동을 가르쳐야 하고, 실제로 나타나게 해야 한다. 그러기 위해서는 시각적 자료를 활용하고, 연습 기회를 최대한 제공하고, 강화를 통해 행동을 유지 시켜야 한다. 문제행동 중재는 물론이고 나아가 문제행동 예방의 방법까지 차근차근 알고 싶은 분들께 이 책을 추천한다.

사회정서학습 (학교 교육으로 튼튼한 마음 기르기)

김미래

학교는 더는 안전한 곳이 아니다. 아이들의 웃음과 화합보다는 내 옆의 친구를 뛰어넘어야 한다는 경쟁과 치열만이 자리 잡고 있으며 그 속에서는 청소년 문제가 더욱이 심각해지고 있다. 각종 예방과 선도 교육은 아이들의 실제 삶과 연결되지 않은 채 겉돌 뿐이다. 우리는 아이들에게 무엇을 가르쳐야 할까? 바로 이 책에서 제시하고 있는 해답은 '사회정서학습' 이다.

우선 책의 앞부분에서는 사회정서학습의 개념과 필요성에 대해 알아본다. 발달적, 사회적, 개인적 과업과 도전에 성공적으로 대처하는 데 필요한 것이 바로 '사회정서학습'이라는 것을 강조한다. 사회정서학습은 미국과 호주, 싱가포르에서 앞서서 실시되고 있는데, 국가 혹은 주 정부 차원에서 체계적으로 이루어지고 있다는 점과 여러 관계기관의 협력하에 이루어지고 있는 점에 주목하고 있다. 기본적인 개념과 역사를 알고 난 뒤, 뒷부분에서는 실행하는 과정과 이를 접목할 수 있는 다양한 예시들에 대한 궁금증을 해결해준다. 사회정서학습의 전체적인 실행과정과 그에 따른 필요한 통합적인 지원, 그리고 구체적인 명시적 학습을 설명하고, 사회정서학습의 실제들을 담아내고 있다. 사회정서학습의 프로그램들에 공통으로 나타나는 수업 매뉴얼을 참고해 우리나라 수업 환경에 적합하도록 재구성한 것이 가장 와닿는 부분이다.

이 책을 읽으면서 "옳은 행동을 하고 싶은 것과 실제 성공적으로 해낼 수 있는 것을 구분해야 한다."라는 구절이 가장 인상 깊었는데, 아이들이 배우지 못했을 수 있다는 것을 항상 유념하면서 사회정서역량을 지도해야겠다고 생각했다. 한편으로는 다른 교육들처럼 일회성으로 끝나지 않을까 하는 걱정도 되었지만, 우리 아이들에게 꼭 필요한 교육이라는 것을 알기에 우리는 사회정서학습의 큰 체계와 학급에서의 적용 방안을 논의해 보았다. 이야기를 나누다 보니 선생님들께서 하고 계신 인성교육과 생활지도들이 사회정서학습과 닿아있다는 것을 알게 되었고, 앞으로는 좀 더 체계적으로 지도 방향을 계획해보고 실천해보기로 하였다. 작은 걸음이 모여 나중에 큰바람을 일으키길 기원하며. 아이들의 올바른 성장을 위해 노력하는 모든 선생님을 응원하고 싶다.

보완대체 의사소통 유닛-너나우리

눈으로, 손으로, 다양한 방법으로 대화하는 우리

AAC(보완대체의사소통)은 말과 글로 자신의 생각을 충분히 표현하는 것에 어려움이 있는 사람들을 위해 말소리에 더해 사용하며 의사소통 활동을 보완하거나 말소리를 대체하여 사용하며 의사소통을 하는 방법을 말한다. '보완대체의사소통 방법' 하면 이전에는 주로 말소리 내기가 어려운 중증뇌병변장애 학생들이 사용자로 떠올랐으나 요즘에는 자폐성 장애, 지적장애의 언어발달과 타인과의 의사소통을 지원하고 사회적 활동에 참여하는 수단으로도 많이 이용된다. 더불어 행동 중재에도 많이 이용되면서 보완대체의사소통에 대한 교사와 학부모의 관심이 늘어나고 있다.

작년부터 보완대체의사소통 유닛인 너나우리에서는 현장에 있는 교사들이 보완대체의사소통체계나 방법에 조금 더 쉽게 접근하고 현장에서 학생들에게 적절하게 활용할 수 있도록 보완대체의사소통 활용 자료집을 준비 중이다. 더불어 의사소통에 도움이 필요한 학생들이 다른 학생들과 조금 더 즐겁게 활동할 수 있도록 AAC를 활용하는 보드게임 방안에 대해서도 직접 보드게임을 선정하고 실행해 보고 상징어휘들을 선정하고 피드백을 주고받으며 상징판을 만들고 있다. 보완대체의사소통을 현장에서 학생들에게 실제로 적용해 보고 사례 발표를 통해 함께 이야기를 나누고 있는 6명의 너나우리 선생님들에게 보완대체의사소통을 수업 속에서 적용하면서 느꼈던 점이나 고민하는 점들에 대해 질문을 해보았다.

Q. 보완대체의사소통을 활용해서 수업을 진행하면서 기억에 남았던 수업이나 사건이 있다면? 또 좋았던 점이나 고민 해봐야 할 점들이 있다면 무엇인가요?

최수임 선생님

수업을 하면서 아이들이랑 만나면서 행복함을 느낄 때는 아이들이 조금씩 성장해나가는 모습을 볼 때라는 생각이 들었다. 아이들이 자신감도 생기고 자기주장도 늘어가는 모습을 보고 있으면 대견하면서도 뿌듯하다. AAC는 타인과의 의사소통이 어렵거나 내 생각을 표현하는 것을 어려워하는 아이가 더 넓은 세계로 나아가고 소통하기 위한 방법이다.

우리 반에는 말이 서툰 다문화 학생이 있었다. 아이는 자폐 성향도 있고 알고 있는 어휘도 적다 보니 항상 자신이 알고 있는 낱말만 반복해서 말하고 사회적 의사소통 상황에서 적절하게 자신의 감정이나 질문에 대한 대답을 어려워하는 모습을 보였다. 자신의 뜻이 선생님이나 주변 어른들에게 전달이 안되거나 원하는 의사소통이 제대로 안되는 상황에서는 울기나 소리 지르기, 공격 행동으로 나타나는 일이 많았다. 그런데 학생을 천천히 관찰하다 보니 학생이 사진, 그림, 영상과 같은 시각적인 자극에 민감하게 반응하고 수용한다는 것을 알게 되었다. 아이는 내가 말로 10번을 설명하는 것보다 사진 한 번을 보여 주는 것이 수용이 빠른 학생이었다. 국어 시간에 학생과 그림 상징이나 사진을 사용해서 자신이 하고 싶은 것을 선택하거나 자신의 감정을 표현하거나 그림책의 내용을 소개하는 수업을 했었는데 같은 말만 하던 학생이 그림 상징이나 사진을 손으로 짚으면서 해당하는 말을 하는 모습이 점점 많이 관찰되었다!

학생은 조금씩 조금씩 사용하는 어휘가 많아지기 시작하더니 궁금한 사진을 짚으면서 '뭐예요?'를 묻기 시작했고 혼잣말 밖에는 하지 않았던 아이가 나에게 와서 자신이 좋아하는 상징이나 수업시간에 썼던 사진을 달라고 요청하는 모습을 보였을 때 다양한 방법으로 의사소통할 수 있는 기회를 만들어주는 것은 정말 중요한 것이구나라는 생각이 들었다.

이렇게 아이와 AAC를 사용해서 소통하고 수업하면서 다른 사람이 내 말을 이해했다는 느낌을 받는 것은 아이에게도 상대방에게도 매우 중요하다는 생각이 들었다. 그럼에도 현장에서 AAC를 적용하면서 여전히 고민되는 지점은 보호자와 AAC를 학교와 가정에서 연계성 있게 적용하는 것에 대해 소통하는 과정입니다. 어떻게 하면 보호자에게 AAC의 사용이 아이의 언어발달에도 좋은 영향을 미칠 수 있다는 것을 알리고 가정과 연계해서 아이의 의사소통 기회를 더 보장하기 위해 협력할 수 있을지가 고민이다.

주 1회를 AAC를 활용해서 수업하는 자폐성 장애가 있는 학생이 있다. 최근 몇 주간 자증을 내거나 공격적인 행동이 빈번하게 나타나기 시작했고 원인을 빠르게 파악하지 못했다. 무엇이 학생을 화나게 하는 것일까? 궁금했지만 알지 못하는 상황에 답답함과 미안한 마음이 오갔다. 의사소통의 중요성을 다시 한번 깨닫게 되는 순간이었다.

학생을 힘들게 했던 것은 바로 배가 고파서 먹을 것을 찾았는데 교실에는 먹을 것이 없어서 화가 났던 것이었다. 학생과 나는 평소에 활동 중심 수업을 하다 보니 음식 강화물 자체를 사용하지 않았다. 그래서 학생은 먹는 것과 관련한 적절한 표현 방법을 찾지 못해 힘들어했던 것이다. 그 이후 배고픔을 표현하도록 하기 위해 AAC를 활용해서 "땡땡이는"+"배고파요", "과자"+"주세요","땡땡이는"+"무엇이"+"먹고 싶어요"를 가르쳤다. 가르치는 과정에서도 즉각적으로 요구가 들어가지 않으면 공격행동이 나타났지만, 그렇게 해서는 원하는 그 무엇도 얻을 수 없음을 알려주기 위해 AAC를 활용해서 표현하기를 여러 차례 반복하여 훈련을 하였다.

2주가 지난 뒤 학생은 자신의 의사소통 책을 펼치더니 "땡땡이는"+"배고파요", "과자"+"주세요"를 척척 선택한 후에 얌전히 앉아 선생님이 과자를 줄 때까지 기다리며 상동 행동을 하고 있었다. 그 순간 전해오는 감동은 경험한 자만이 알 수 있다고 했던가? 너무 대견하고 뿌듯하고 벅차오르는 순간을 느꼈다.

학생들의 의사소통 권리를 보장하기 위해 현장에서는 학생의 상황에 맞게, 목표에 맞게 학생이 할 수 있고 필요로 하는 것들에 중점을 두고 AAC를 지도하기 위해 고민해 봐야 할 것이다.

정은지 선생님

셋업 AAC 유닛을 하면서 배우고 생각하는 건 단지 기술적인 것뿐만이 아니다. 개인에게 의사소통이 얼마나 중요한지, 왜, 어떤 부분에 특히 어려움을 보이는지, 무엇부터 시작하면 좋을지를 세심하고 꼼꼼하게 만든다. 이런 고민은 아주 단편적이면서도 동시에 전반적이기도 해서 사람에 대한 이해로 나아간다.

최근 느낀 것이 있다면 작은 시각적 지원에도 학생들의 순간 집중과 소통 범위는 확연히 달라질 수 있다는 것이다. 얼마 전, 한글 습득이 되지 않은 A 학생을 위해 사진 식단표를 제작하여 게시하였는데 이 앞에서 삼삼오오 모여 아주 많은 대화가 오가는 모습을 볼 수 있었다.(사진 속 양념 색깔, 오이 크기, 매운 정도 예상해 보기 등등 살림꾼들의 많은 대화가 오가고는 한다.) A 학생에게 필요할 것이라고 생각했던 자료였는데 문해 능력이 높은 자폐스펙트럼 B 학생에게도 더 매력적인 자료가 되어 있었다.

AAC 사용 기준이 꼭 발화의 어려움으로만 단정해서는 안 되겠구나, 좀 더 넓게 바로 보고 사고해야겠다는 생각이 드는 요즈음이다.

매년 새로운 학생들을 만나게 되고 학생들에게 적합한 보완대체의사소통 도구(이하 AAC)를 선정하여 수업 및 일상생활 전반적인 영역에서 활용하고 있다. 의사 표현 방법의 부재로 인해 도전적 행동을 보였던 학생들, 자신이 표현해도 상대방이 알아듣지 못하는 상황 속에서 표현을 포기했던 학생들의 긍정적인 변화를 느낄 때 "AAC를 공부하길 참 잘했다"라고 항상 생각한다. 가정 및 학생이 주로 생활하는 지역사회에서 활용할 수 있는 기회의 부재 및 결여, AAC에 익숙한 학교 내 교사가 아닌 다른 대상과의 의사소통 상황에서의 일반화가 어려웠던 것이 AAC를 지도하면서 마음 한구석에 아쉬움이 자리를 잡고 있었다.

올해 그간의 아쉬움을 한 번에 날려버릴 만큼 좋은 기회가 다가왔다. 새로 만난 학생이 AAC에 자주 노출이 되고 있고, 부모님과 만든 다양한 손담을 사용하고 있는 데다가 다니는 치료실에 계신 선생님이 「너나우리」에서 함께 AAC를 연구하고 있는 선생님이었다. 항상 이론 서적에서나 봐오던 가정, 학교, 치료실과의 연계를 드디어 실현해 볼 수 있다니! 아직은 좌충우돌, 우당탕탕한 하루를 보내고 있지만 1년이 지난 뒤에 이 학생이 성장해있을 모습을 생각하면 가슴이 뛴다. 너의 이야기, 나의 이야기, 우리는 AAC로 소통하며 리(이)제 친구가 되었네!라는 너나우리의 의미처럼 학생과 AAC로 소통하며 친구가 되는 그날까지 파이팅!

매년 다양한 아이들을 만나면서 하게 되는 고민 중 빠지지 않는 한 가지가 있다. 발화가 가능한 아이와 발화에 어려움을 갖는 아이들이 한 교실에 함께 있을 때- 어떤 때에는, 수업이 너무 말하는 아이 위주로 돌아가게 된다는 것에 대한 고민이었다. 어떻게 모두가 수업에 참여하고, 표현할 수 있는 기회를 가질 수 있을까? 중도중복장애를 가진 아이들도 어떻게 생각과 감정을 표현할 수 있을까? 중도중복장애를 가진 아이들도 어떻게 생각과 감정을 표현할 수 있을까? 내가 어떤 지원을 해야 아이들이랑 더 소통하고 의사소통할 수 있을까? 이런 고민 속에서 AAC를 조금 더 적극적으로 적용해 보자-생각했던 것 같다.

신현경 선생님

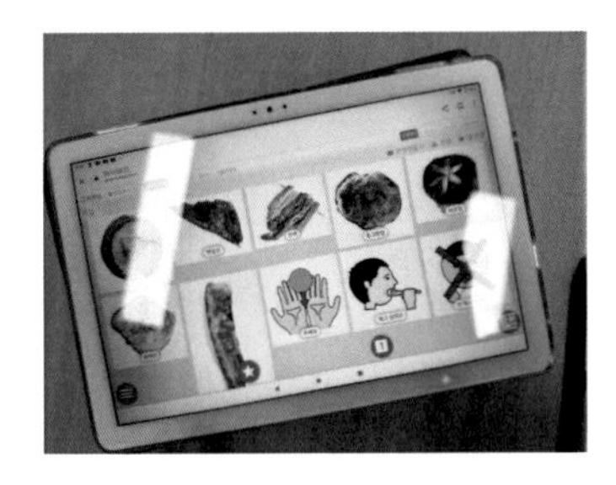

언제나 그렇듯 한 번에 성공 경험을 얻을 수는 없었다. 지체장애를 함께 가진 아이도 있었지만 자폐성 장애, 지적장애를 가진 아이들이 많았던 교실 안에서- 아이들마다 가르치기 위해 교수하는 부분과 적용하는 부분, 개별로 신경 써주어야 하는 부분들이 달랐기 때문이다. 그래서 아주 작은 것부터- '화장실 가고 싶어요, 우유 마실까?, 물을 마실까?, 주세요, 안 먹고 싶어요.' 등과 같은 일상생활에서 자주 사용하는 표현들을 모든 책상 위에 사진 및 그림 상징으로 부착하고, 이외의 다양한 표현들을 교실의 여러 곳에 배치하였다. 사진과 그림 상징을 이용해 의사소통을 하는 것은 단순히 어떤 사진 및 그림카드를 만들어 놓았다고 해서 자동적으로 되는 것이 아니다. 이게 시작이었다. 교사인 내가 학급 환경을 시각적인 단서가 가득하게 만들어 주는 것이 필요했고, 상징을 다양한 장면에서 사용하는 모습을 보여 주면서 의도를 익히게 하고, 아이들과 함께 상징들을 사용하는 연습을 하였다.

사진과 그림 상징을 이용해 의사소통을 하는 것은 단순히 어떤 사진 및 그림카드를 만들어 놓았다고 해서 자동적으로 되는 것이 아니다. 이게 시작이었다. 교사인 내가 학급 환경을 시각적인 단서가 가득하게 만들어 주는 것이 필요했고, 상징을 다양한 장면에서 사용하는 모습을 보여 주면서 의도를 익히게 하고, 아이들과 함께 상징들을 사용하는 연습을 하였다. 점차 아이들은 장소 카드를 골라 가고 싶은 곳을 표현하고, 음식 카드를 골라 먹고 싶은 것을 표현하여 학교 내 마켓에서 먹고 싶은 것을 표현할 수 있었다. 수업 상황에서도 대단하지 않더라도, 사용하고 싶은 재료를 고르고, 지금 다루고 있는 활동에 대한 용어를 짚고, 느낌을 짚어보면서-발화가 아니더라도, 다양한 방식으로 자신의 의사를 표현할 수 있는 연습을 하였다. 현장체험학습에서 타고 싶은 놀이 기구를 골라서 표현하고, 다른 놀이 기구도 탈래 물어보니 '무섭다'라고 표현한 학생, 우유를 안 먹는다고 해서 물어보니 '머리 아파요'를 표현한 학생도 있었다.

재미있지만, 아직도 어려운 AAC이다. 배우면 배울수록 어렵다는 생각도 들 때도 있다. 하지만, AAC를 하면서 정말 많이 달라진 점이 있다. 아이들이 말하고자 하는 바가 있다는 것을 늘 염두에 두게 된다는 것이다. 반응이 없는 학생, 도전 행동을 보이는 학생 등 모두 사실은 표현하고 싶은 것들이 마음속 가득 있는데, 적절한 방법을 몰라서, 배워보지 않아서 그럴 수 있겠다-라는 생각을 하게 되는 것이다. 여러 아이들과 더 많이 소통할 수 있는 내일을 꿈꾸며, 어렵지만 재미있는 AAC, 오늘도 힘을 내본다!

김소연 선생님

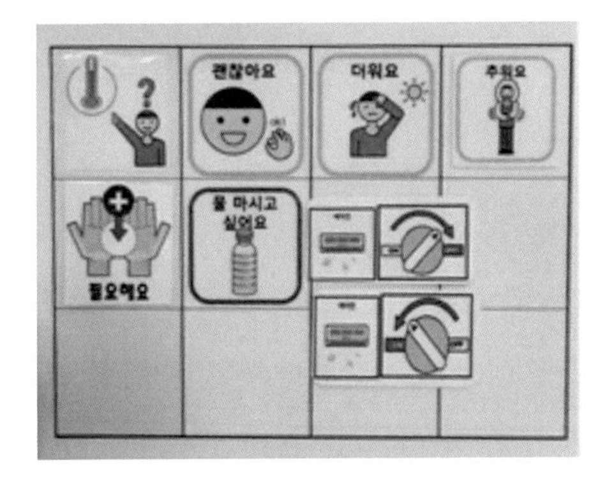

'너의 온도를 말해줘!' 고등학교 특수학급에서 학생들을 가르치고 있습니다. 자신이 느끼는 온도에 대해 민감하게 반응하지 않는 학생이 있었습니다. 땀을 뻘뻘 흘리면서도 겉옷을 벗고 있지 않다거나, 추운 날에는 겉옷도 입지 않은 채 소매를 걷어붙이고 그림을 그렸습니다. 그래서 거의 365일 감기를 달고 다니는 학생이었습니다. 학생의 건강을 위해서라도 자신의 온도에 대해 표현하는 것을 우선적으로 가르쳐야겠다고 생각해서 AAC 상징(더워요, 추워요, 괜찮아요)을 이용해서 단어를 가르치고 상징을 선택해서 표현하는 것을 가르쳤고 초반에는 매시간마다 "지금 OO이 온도는 어때?"라고 질문하여 상징을 가리키거나 말로 표현하도록 지도하였습니다. 그리고 '필요한 거 있어?'라고 물어보고 '물 마시고 싶어요.', 에어컨 켜주세요.'등 필요한 것을 말할 수 있도록 지도하였습니다.

처음에는 수동적으로 교사가 질문할 때만 대답하고 상징을 사용하길래 제대로 가르치고 있는 것인가 의문이 들었고 그러면서 온도에 대해 질문하는 것을 중단하였습니다. 그러고 나서 며칠 뒤에 수업을 하고 있는데 도중에 학생이 가만히 앉아 있다가 "더워요"라고 말을 하는 것입니다. 저는 학생이 자발적으로 온도에 대해 표현하는 것을 처음 들어서 너무 기뻤습니다. 나는 바로 "뭐가 필요해?"라고 물어보았고 학생이 말을 못 하자 상징판을 보여줬더니 상징을 보고 "에어컨 켜주세요."라고 대답을 했습니다. 학생의 이러한 작은 변화가 아직도 너무 감동적이고, 꾸준하게 하면 된다는 자신감이 생겼습니다.

글을 마무리하며 너나우리 선생님들과 함께 AAC 공부를 하고 여러 가지 자료들을 만들어보고 사례연구를 하다 보면 내가 생각하지 못했던 것들을 선생님들에게서 얻을 때가 있다. 학생에게 AAC를 활용해서 지도하는 동안 '왜 안되지?', '뭐가 문제지?' 싶은 고민이 들 때 다른 선생님들의 수업 적용 사례나 피드백을 들으면 방법을 찾을 때가 많아서 선생님들께 항상 감사하다. 몇 년째 함께 AAC에 대해 누구보다 열심히 이야기 나누고 새로운 활동들을 생각해내는 선생님들이 대단해 보이고 AAC를 공부하며 함께 성장할 수 있는 시간을 같이 할 수 있어서 행복하다. 앞으로 만들어질 자료들도 너무 기대되고 현장에 AAC를 처음 시작하는 조금은 막막한 선생님들과 아이들에게 도움이 될 수 있었으면 좋겠다.

언제나 응원하는 너나우리 파이팅!

집필·편집

장애학스터디 유닛 WITH

위드가 묻고, 위드가 답하다.

최효언 (교하고등학교 특수교사)
이다요솔 (원주청원학교 특수교사)
김미래 (구미신평중학교 특수교사)
김 별 (용인특수교육지원센터 특수교사)
김민지 (서천고등학교 특수교사)
정유진 (중부대학교 특수교육학과 박사과정)
박미선 (산본초등학교 특수교사)
남기화 (평택안일초등학교 특수교사)
조현영 (아름학교 특수교사)
이희경 (서울봉화초등학교 특수교사)
신현경 (홀트학교 특수교사)
김윤정 (부산남부특수교육지원센터 특수교사)
정미숙 (하중초등학교 특수교사)
김솔이 (광주중앙고등학교 특수교사)
방극열 (은평대영학교 특수교사)

모두의 미디어: 모미

우리는 왜 미디어 리터러시 교육을 할까?

지정훈 (신림중학교 특수교사)
김민경 (단원고등학교 특수교사)
권주희 (창동중학교 특수교사)
박진솔 (용인다움학교 특수교사)
차성은 (오남중학교 특수교사)
허방글 (양구초등학교 특수교사)

그림책 활용 교육 유닛 지그재그

취향과 질문이 있는 그림책 수업

권경은 (천안인애학교 특수교사)
김민지 (서천고등학교 특수교사)
김진경 (삼호중앙초등학교 특수교사)
오주영 (원동초등학교 특수교사)
이다요솔 (원주청원학교 특수교사)
이미화 (배곧고등학교 특수교사)
이복음 (덕천초등학교 특수교사)
이하늘 (파주특수교육지원센터 특수교사)
정미숙 (하중초등학교 특수교사)
주소영 (영천초등학교 특수교사)
최수임 (국립특수교육원 특수교사)

교육과정 유닛 CU

너와 우리, 함께 걸어가는 수업 여정

이지원 (중화중학교 특수교사)
박현경 (서울휘봉초등학교 특수교사)
이미화 (배곧고등학교 특수교사)
이다요솔 (원주청원학교 특수교사)
김진경 (삼호중앙초등학교 특수교사)
이다정 (와동중학교 특수교사)
김민지 (서천고등학교 특수교사)

긍정적행동지원교육 유닛 피클

피클과 함께하는 긍정적행동지원 책 읽기

한경화 (구리중학교 특수교사)
오주영 (원동초등학교 특수교사)
신현경 (홀트학교 특수교사)
최효언 (교하고등학교 특수교사)
전혜지 (반지초등학교 특수교사)
조현영 (아름학교 특수교사)
김윤정 (부산남부특수교육지원센터 특수교사)
김미래 (구미신평중학교 특수교사)

보완대체의사소통 유닛 너나우리

눈으로, 손으로, 다양한 방법으로 대화하는 우리

정은지 (부용중학교 특수교사)
이정은 (에블봄발달센터 특수교사)
고은별 (한국우진학교 특수교사)
신현경 (홀트학교 특수교사)
김소연 (동백고등학교 특수교사)
최수임 (국립특수교육원 특수교사)

특수교육연구회 셋업 편집부

셋블리쉬(SET'blish)

정유진 (중부대학교 특수교육학과 박사과정)
김솔이 (광주중앙고등학교 특수교사)
최효언 (교하고등학교 특수교사)

디자인 편집 Canva

특수교사, 특수교육을 사유하다
NO. 3(제 3권)

지은이 특수교육연구회 셋업
엮은이 셋블리쉬

발행 2024년 06월 15일
펴낸이 한건희
펴낸곳 주식회사 부크크
출판사등록 2014.07.15.(제2014-16호)
주소 서울특별시 금천구 가산디지털1로 19, SK트윈타워 A동 305호
전화 1670-8316
이메일 info@bookk.co.kr

ISBN 979-11-410-8932-0

www.bookk.co.kr